PRÓLOGO POR

mi tabla de Salvación

Pamela en su búsqueda del amor verdadero

ELSA ILARDO

Para ti que vas a leer este libro...

"El lugar en el cual colocamos nuestros ojos
determina la dirección de nuestras vidas."

Oro que este libro te inspire a colocar tu mirada
en el Maestro de nuestras vidas, Jesús.
Y si ya es Jesús tu norte, que avive aún más el fuego
en tu corazón por servirle.

Con amor,

Elsa Llardo

Cursivas y negritas en el texto son énfasis del autor.

Editado por: Ofelia Pérez
Arte de portada y diseño interior: Félix Gabriel Rodríguez
Foto de portada: Dylan Rivera
Modelo de portada: Rachelle Leduc

Mi tabla de salvación
Pamela en la búsqueda del verdadero amor

ISBN: 978-1-7346498-0-2
EBook ISBN: 978-1-7346498-1-9
www.elsailardo.com
www.mitabladesalvacion.com

Impreso en los Estados Unidos de América.

www.hispanosmedia.com

1 2 3 4 5 6 7 8 9 10 11 22 21 20

¡Disfruta de TU tabla de *Salvación*

Elsa nos presenta en esta singular novela, una historia que se parece a la de miles de personas y posiblemente le haga recordar lo que ha vivido. Estoy seguro que disfrutará recorrer estas páginas, porque le permitirá reflexionar sobre las decisiones que ha tomado, los sentimientos que tiene, y se hará preguntas existenciales que pocas veces nos hacemos. Es mi deseo que la novela ayude a muchos a tomar sabias decisiones porque el dolor de las malas decisiones tiene un impacto generacional. Comprender por qué nos ocurren las cosas, y cómo llegamos a donde estamos, es el misterio por resolver. Por eso, disfrutará leer *Mi tabla de salvación.*

Sixto Porras
Director de Enfoque a la Familia para Iberoamérica
Costa Rica

¡Me siento inmensamente feliz por este extraordinario escrito de mi amada amiga Elsa! Ella derrama el corazón en todo lo que hace, con pinceladas de belleza y amor. Estoy segura que este proyecto no es la excepción. Dios, en su infinito amor, se encarga de levantar personas para recordarnos que aun en medio de las pérdidas más crudas de la vida, los traumas de la infancia, las crisis, los desalientos, el desamor y lo incomprensible, siempre la esperanza tendrá espacio para florecer.

El Espíritu Santo te hablará por medio de cada vivencia de Pamela. Te invito a leer cada línea con profundidad y reflexión. Su historia tendrá semejanzas con la tuya, porque la historia de ella contiene piezas y lienzos de lo que hemos experimentado todos en esta cautivante aventura llamada vida, en la que caemos por precipicios, pero también encontramos la escalera que nos saca y nos lleva hasta el tope. Así como Pamela se descubrió a sí misma cuando se sentía perdida y fue sanada en las manos de Aquel que tiene el poder de curarlo todo, tú también sentirás los vendajes en tus heridas en estas páginas que fueron totalmente reveladas por Dios.

Gracias, Elsa, por ser valiente y obediente a la voz del Señor. Este libro es muy necesario en los tiempos que estamos viviendo como sociedad. Los trastornos de ansiedad, la depresión y los suicidios han aumentado dramáticamente. Creo que lloverán los testimonios de todos aquellos que a través de esta lectura descubrirán una salida en el laberinto, luz al final del túnel y una verdadera razón para gritar: ¡Encontré *Mi tabla de salvación*!

Dra. Lis Milland
Consejera Profesional
Conferencista internacional
Autora de libros éxitos de ventas
Puerto Rico

Hace algunos años Dios me dio el gran privilegio de conocer a una persona que luego se convirtió en una amiga. Ella me presentó como autora en el hermoso mundo de la literatura; Dios usó la vida de Elsa para abrirme puertas en la industria, y hoy me emociona ver que ella es la que da un nuevo paso como autora. ¡Qué gran alegría!

Mi primera aventura en el paddle board fue también con Elsa en Orlando. Recuerdo que ese día hablamos mucho de su proyecto y de las lecciones que Dios le estaba enseñando cada vez que practicaba este hermoso deporte. Eso impactó mi vida.

Elsa es una mujer maravillosa. Admiro su fe, confianza y pasión por Dios. La he visto luchar y creer en las promesas de Dios, y sé que este libro que estás leyendo nació en el corazón del Padre y fue colocado en ella para llevar luz y esperanza a muchas personas que necesitan leer esta fascinante novela. Estoy segura de que te llevará por una hermosa aventura que no solo te deleitará con la lectura, sino que en cada vivencia podrás aprender mucho de las lecciones reveladas, porque solo hay una tabla de salvación para cada vida.

Gracias, amiga, por creerle a Dios y por ser obediente a este nuevo llamado. Has sido entrenada para esto y mucho más, así que sigue brillando con la luz de Jesús.

Hoy celebro este primer libro, y sé que vendrán más. Amigo lector, abre cada página con fe, pero ante todo, abre tu corazón y recibe el mensaje de fe que hay para ti.

Stephanie Campos
Autora, Life Coach
Conferencista internacional
Costa Rica

Mi tabla de salvación es una novela sin igual. Mientras leas cada palabra, te sentirás parte de la historia. Reirás con las ocurrencias de los personajes, pero también llorarás y hasta te molestarás con sus decisiones. Si has estado en la búsqueda constante del amor de tu vida, pero no lo has encontrado, *Mi tabla de salvación* te llevará hasta Él. Elsa iLardo ha escrito una de las mejores novelas que leerás en tu vida.

Sarinette Caraballo Pacheco
Autora de *Dios en las Redes Sociales*
Coach Certificada de John Maxwell
Fundadora de ASK Leadership Team
Arkansas, US

La mujer contemporánea se encuentra enfrentando tantos retos diarios. La historia de muchas mujeres hoy está relatada de una manera tan descriptiva en esta novela. *Mi tabla de salvación* se convertirá en una de las novelas a través de la cual podrás sentir cómo Dios te afirma en diferentes facetas de tu vida. Todos en diferentes ocasiones de nuestra vida de una manera o de otra estaremos frente a una oportunidad donde tendremos que tomar la decisión de manejar nuestras emociones y decisiones a la altura que Dios espera de nosotros. La novela *Mi tabla de salvación* nos inspira a estar cimentados en la Palabra de Dios y en una relación saludable con Él. Gracias a la autora por tan exquisita lectura. Estimado lector, iniciarás el proceso de lectura asimilando la situación de muchas personas. Mi expectativa es que igual que los protagonistas de esta novela, tú también disfrutes tan hermoso desenlace.

Dayna Monteagudo
Autora de *Desde el corazón de una amiga*
Saint Cloud, FL

Conocer a Elsa ha sido una gran bendición. Su vida ha sido un ejemplo grande y especial, un testimonio intachable. Cuando tuve la oportunidad de leer esta novela que será conocida en las naciones, me vi identificada porque conozco un Dios que restaura y transforma como nadie. No dudé ni un instante la bendición que será para tantas mujeres. Esta es una novela que se necesita en este tiempo, y tengo fe de que impactará naciones. Esta novela no es solo una historia, sino el momento oportuno para que te identifiques lo suficiente como para reencontrarte contigo misma y el propósito por el cual Dios te creó. Sé que escucharemos por muchas generaciones de está bellísima historia.

Dra. Ruth Marí Calderón
Autora de *Mi altar sagrado*
Davenport, FL

El libro *Mi tabla de salvación* es una fascinante novela que narra una serie de sucesos que podrían haber marcado fatídicamente el futuro de Pamela, el personaje principal de la historia. En cada capítulo el lector se sentirá identificado con los acontecimientos que en el transcurso de la vida de Pamela ocurren, historias de amor, desamor, violencia y desengaño, entre otros.

Recomiendo ampliamente la lectura del libro *Mi tabla de salvación*. Es un valioso recurso, tanto para mujeres como para hombres. Las féminas podrán identificarse con algunas de las temporadas de Pamela, y reconocer si sus vidas se encuentran en el orden que Dios anhela. Para los hombres es un recordatorio de cómo sus actos pueden marcar o bendecir la vida de esa dama que tienen como compañera de vida.

Me llena de alegría el libro de mi amiga Elsa. Esta novela será el inicio de una nueva temporada en la vida de ella y en la de su familia. En medio del ajetreado tiempo que nos ha tocado vivir, este libro será la tabla de salvación que muchos están esperando para llevar su vida al nivel de excelencia que Dios ha diseñado para cada uno de sus hijos.

Tatihana Pozo
Directora de Contexto Media Group
Orlando, FL

A la *memoria* de alguien muy querido

Por casi 14 años, Dios me permitió disfrutar de la compañía de una hermosa mascota, una *toy poodle* a la cual le puse por nombre Penélope Sofía. Penélope llegó a nuestras vidas cuando yo era una madre soltera de un niño de 5 años, y buscando darle una hermanita a mi hijo, busqué lo más cercano y lo más posible: una perrita.

Muy pronto esta pequeña criaturita se volvió parte de mi familia. Había algo muy especial en ella; pareciera que percibiera lo que yo sentía. Yo solía hablar por ella, creando su voz, y ella actuaba exactamente como si lo entendiera. Un día se me escapó y llegó embarazada. Cuando me di cuenta de su embarazo le decía a todos bromeando que ahora éramos las dos madres solteras. Tuvo cuatro perritos que nacieron en mi camioneta azul, mientras yo conducía. ¡Qué tensión me hizo vivir la chica!

Se mudó conmigo de casa en casa, nos acompañó en las peores crisis cuando lo perdimos todo, y cuando Dios nos volvió a proveer. Me la traje con nosotros a los Estados Unidos, de una ciudad a otra. Siempre fue mi perrita fiel. Tenía su camita rosada dentro de mi habitación. Caminaba a pasos muy cercanos detrás de mí adondequiera que yo andaba; no necesitaba "leash". Ella me seguía muy cerquita. No había lugar al que yo pudiera cerrar la puerta y dejarla afuera; lloraba hasta que le abriera.

Cercana, alegre, cariñosa. Con la habilidad de pararse en dos patitas, dar vueltas y caminar, todo por un pedazo de carne o por la alegría de verme llegar. Salía a correr conmigo y parecía sonreír. Al mínimo gesto de cariño se tiraba al piso esperando ser acariciada. Hay un personaje de este libro que lleva su nombre; así de especial era Penélope para mí. Días después de terminar de escribir este libro salí a trabajar y al regresar Penélope ya no estaba viva. La vida de Penélope fue quitada violentamente. Enfrentar ese duro golpe en medio de la alegría de estar por publicar este libro, fue un torbellino de emociones. El dolor quiso impedirme continuar avanzando. Caí sobre mis rodillas y clamé al cielo. La ayuda no podía venir de ningún otro lugar. Pero para poder salir del estancamiento emocional en el que me encontraba necesitaba perdonar. Fácil es predicar el perdón, difícil es vivir lo que se predica. Esta parecía ser la última prueba antes de publicar *Mi tabla de salvación.* Para hacerlo necesitaba dejar de ponerle peso al "cómo pasó" y mirar con anticipación y alegría "lo que va a pasar"; poner mi mirada en las cosas de arriba y dejar que Dios me empujara a salir de la zona de dolor. Algunos días parecía sencillo, otros días parecía imposible. Y justo antes de que este libro saliera impreso me fui a hacer paddle board con mi familia.

Estábamos en un río y había árboles caídos sobre el agua. Mis hijos y mi esposo pasaron por encima de ellos sin problema y cuando yo fui a pasar la quilla de mi tabla se quedó estancada en el tronco y me detuvo de golpe. Me hizo caer sobre mis rodillas, así como caí ante aquella terrible noticia. Busqué con todas mis fuerzas empujarme con el remo, pero me era imposible. Mi esposo se me acercó y con tierna paciencia y sabiduría me explicó: "Tienes que mover el peso de tu cuerpo a la parte frontal de la tabla; tu peso está en la parte trasera y ahí es donde está la quilla". Tengo que reconocer que no respondí positivamente a la primera. Más bien me negué a continuar, retrocedí y me enojé con la vida por tener ese tronco en mi camino. Es más, me compadecí de mí; ¿por qué solo a mí me pasan estas cosas?... Ante las dulces llamadas de mi esposo regresé avergonzada. Decidí esta vez escuchar sus instrucciones y someterme. Cuando me moví hacia el frente, como él me dijo, la parte trasera de la tabla se elevó un poco y pude salir del estancamiento. Sí, esto lleva un ¡uff!

¿Qué me mostró Dios? Que no puedo seguir poniendo el peso en el pasado, en lo que pasó. Necesito moverme hacia adelante, a lo que prosigue, al futuro, y solo así seré capaz de continuar mi jornada. Las cosas no siempre pasan como quisiéramos, no siempre las soluciones son las que les proponemos a Dios, las tragedias suceden, la maldad existe, no siempre las situaciones parecen justas. Pero podemos enfocarnos en lo que está adelante y quitarle peso a lo que ha quedado atrás para seguir avanzando en el mar de la vida. Jesús dijo en Juan 16:33: "*Estas cosas os he hablado para que en mí tengáis paz. En el mundo tendréis aflicción; pero confiad, yo he vencido al mundo".*

Descansa en paz, mi perrita linda, gracias por tu fidelidad y por tantos años de alegría. Confío en que cuando llegue al cielo Jesús te estará cargando en su costado.

Dedicatoria

Dedico este libro a mi familia.

A mi mamá, Elsa, por ser un pilar en mi vida y un ejemplo de mujer fuerte y valiente que sacó adelante a sus hijos.

A mi papá, que está en el cielo; sé que estaría orgulloso de mí.

A mis hermanos a quienes amo, David, Sonia, Junito, Eric y en el cielo a mi "big-bro", José.

A mi hijo Dylan. Contigo no solo fui mamá, sino que me convertí en un mejor ser humano. Tú me hiciste sensible, fuiste la pieza del rompecabezas que usó Dios para tocar mi corazón. Lo hice por ti y el premio era para mí. Gracias por el joven adulto en el que te has convertido; me haces sentir tan orgullosa de ti. Hijo sabio y noble protector. Gracias por ser tan unido conmigo. Te amo tanto, con todo mi corazón.

Y el Dios que da la multiplicación debió haber estado contento conmigo porque a través de mi esposo me regaló otro hijo, Cody. Gracias por amarme y aceptarme como tu segunda mamá. Te amo y me siento supremamente orgullosa de ti, tanto, como sé que tu mamita hermosa lo estará en el cielo. Dibujas una sonrisa en mi rostro con tu dulzura y tu gran corazón. Te amo. Gracias por tu ayuda siempre y por brindarme tanto amor.

A mi esposo Stephen, mi mejor amigo, mi mejor complemento. Dios no se equivocó al unirnos. Él te trajo a mi vida, me mostró tu corazón, y cada día que pasa me enamoro más. Gracias por cuidarme y por regalarme tanto amor. Gracias por conquistarme, por cada día orar por mí, por esforzarte en entender mi "English not very good looking". Te amo, "mi-mor". Contigo hasta el final de nuestras canas.

Y al mayor de todos, Jesús. Si no fuera por ti, ¿qué hubiera sido de mí? Tú me hiciste detener en el camino, me salvaste de la muerte tantas veces, me rescataste de mis malas decisiones, me consolaste en la tristeza y me sacaste de mil tribulaciones. Me enamoraste. Me hiciste ver que era posible, me mostraste el camino, me enseñaste a esperar y me diste una gran recompensa. Gracias por tu rescate. Tú, sin lugar a dudas, eres *Mi tabla de salvación.*

Agradecimientos

Desde muy tierna edad comencé a soñar con escribir. Aún conservo mi libreta de poemas y escritos que comencé antes de los 12 años. Toda mi vida soñé por un día como hoy, pero no hubiese sido posible si no fuera por las personas claves que Dios puso en mi camino para que ese sueño se volviera una realidad.

Una de esas personas es mi editora, Ofelia Pérez. Gracias por creer en mí. Por tus manos han pasado los libros de grandes escritores a quienes yo admiro. Conozco de primera mano cuán exigente eres con tu trabajo. Sé muy bien cuánto te detienes a corregir cada detalle de un libro que pasa por tus manos. Por tal razón, recibir de ti un halago vale la lotería de los Estados Unidos. Gracias por dejarte usar por Dios para hacer de esta obra algo posible.

Gracias también a mi hijo Dylan, quien fue el fotógrafo de la portada y a la hermosa modelo Rachelle Leduc, quien en poco tiempo se ha ganado mi corazón y mi cariño. A Gabriel Rodríguez, el diseñador gráfico, lograr capturar la esencia de lo que estaba en mi mente y corazón no fue una tarea fácil, y lo lograste. Tengo que agradecer a mi fanático número uno, mi esposo Stephen. Me impulsaste, me motivaste y me inspiraste a continuar aun en medio de la peor tormenta. Contar con una familia que es también mi equipo de trabajo es una bendición.

En este caminar, que fue diseñado a mano por Dios, tuve la oportunidad de trabajar con una editorial cristiana. El ser parte de esa casa fue la excusa que Dios utilizó para poner en mi camino personas que impactarían mi vida para siempre. Algunas de las personas que fueron mis compañeros de trabajo siguen siendo mis hermanos. Tony, Brenda y Marilyn, gracias por sus consejos, su ayuda y por acompañarme en el proceso.

También quiero agradecer al autor José Luis Navajo. A él no le puedo llamar José Luis, tampoco le puedo llamar Navajo. Desde el día en que lo conocí le llamo "Pastor". Él y su esposa Gene me han modelado con su ejemplo y su hermoso amor. Su vida diaria refleja integridad. Observar el valor tan hermoso que él le da a su esposa, a sus hijas y a sus nietos ha sido inspirador para mi esposo y para mí. Es un honor tener un prólogo escrito por usted. Gracias por inspirarme, por sus consejos y por abrazarme como a una hija. Mi familia y yo estamos eternamente agradecidos con su vida.

Hubo otra persona que jugó un papel fundamental para mí. Conocer a Sixto Porras, Director de Enfoque a la Familia para Iberoamérica, fue otra gran bendición del cielo. Fue un gran maestro y consejero cuando me enfrentaba con las luchas de ser madre soltera. En una ocasión me llevé a mi hijo para un viaje de trabajo en el que estaba a cargo de la agenda de Don Sixto. Sus atenciones para con mi hijo y su cariño quedaron grabados en mi corazón. Sixto es siempre el mismo, un corazón lleno del amor de Cristo.

También quiero agradecer a mi amada amiga, la Dra. Lis Milland, otra persona que Dios intencionalmente cruzó en mi camino. Ella ha sido de gran bendición para mi familia. Estuviste ahí para mí y extendiste tu corazón a mi hermano, a mi mamá y hasta a mi mejor amiga. No hay duda de que los consejos que recibí de ti los encontrarás en este libro a través de la Dra. Lisa. ¡Cuánto he aprendido contigo y cuánto disfruto de ti! ¡Gracias!

A mis cuatro amigas autoras:

Dayna Monteagudo, siempre lista para el consejo oportuno; no me dejaste retrasar este libro.

Sarinette Caraballo, un cofre lleno de ideas de oro, gracias por inspirarme a hacer más, siempre más.

La Dra. Ruth Calderón: te conocí en un "de repente" y desapareces y apareces, pero siempre llegas cargada de bendición y de inspiración.

A mi hermanita, Stephanie Campos, la vida nos ha permitido estar unidas siempre y darnos la mano, yo para ti y tú siempre ahí para mí. Sigamos construyendo juntas.

Cada una de ustedes sirvió de inspiración.

A dos amigos que nunca me han dejado sin importar la distancia.

Mi amada Limaris: nunca hay para mí un "no"; siempre estás.

Mi amado amigo Jonathan, a quien Dios usó en mi más difícil temporada. Mi gratitud por ti es eterna.

Y finalmente agradezco a mi mamá por su apoyo incondicional y por creer en mí. Gracias por levantar mis brazos y no solo ser mi madre, pero también mi amiga. Te amo.

Gracias, Dios, por dictar a mi corazón este libro. Reconozco que toda la gloria es para ti y que si una vida es transformada por las letras aquí compartidas es porque tu Espíritu Santo sabe para quienes fueron escritas. Gracias por confiarme este gran tesoro, *Mi tabla de salvación.*

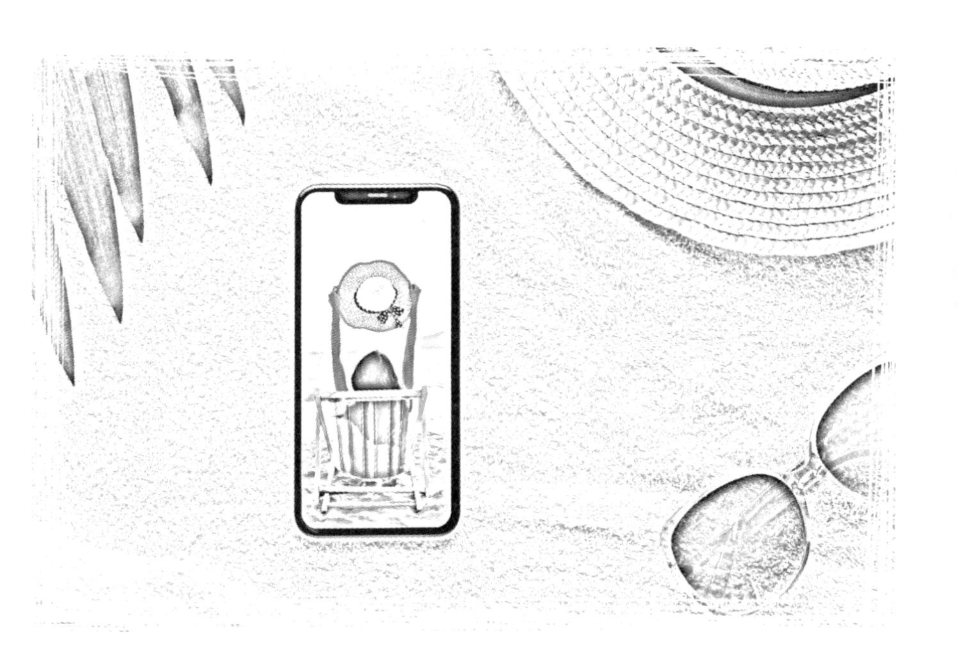

Contenido

Prólogo

Hay escritoras y escritores que no redactan frases, sino que pintan cuadros.

Cada frase es una imagen que invita a zambullirse. La manera en que sumergen al lector en la historia es equiparable a bucear en un mar de letras y descubrir tesoros en las profundidades de ese océano de tinta.

Algo así ocurre con *Mi tabla de salvación*. Es una novela realista que nos envuelve en un abrazo que a ratos resulta helador, pero termina siendo una terapia sanadora.

La historia de Pamela es la de miles, tal vez millones de personas que no pretenden más, pero tampoco menos, que encontrar el auténtico amor. En su complicada andadura va sufriendo desengaños; cada uno de ellos es un desgarrón en el alma de Pamela.

Decepción tras decepción va sumiéndose en un abismo más y más profundo.

Es entonces que aprende una lección: cuando se llega al fondo, hay que apoyarse en Jesús para saltar.

Todo parece perdido, pero... en la cuarta vigilia de la noche más oscura encuentra por fin al Restaurador de ruinas. Al bendito Escriba que redacta líneas perfectas sobre renglones torcidos. Al divino artífice que toma los escombros que otros dejaron y los convierte en palacio.

Dios sutura las heridas de Pamela con hilo de oro y las convierte en riqueza.

Prepárese el lector para emocionarse en la lectura; tal vez incluso te quebrantes. Recuerda entonces que las lágrimas vertidas por causas justas aclaran nuestra visión y se convierten en agua de riego que proporciona una explosión de vida.

Creo que Pamela marcará corazones con la historia de su vida. Dejará huellas sobre las que muchos pisarán y encenderá mil luces en el ánimo abatido.

Gracias, Elsa, por este maravilloso legado que nos dejas. Quiera Dios que sea el primero de muchos que llenen de oxígeno el alma de tus lectores.

Sin más, damas y caballeros, relájense, busquen un espacio tranquilo y bienvenidos a un viaje que no dejará indiferente a nadie: ¡MI TABLA DE SALVACIÓN!

José Luis Navajo

Autor de “Lunes con mi viejo pastor” y más de 20 éxitos de ventas.

Introducción

Abrí mis ojos a una nueva realidad. Él ya no está.

Dios mío, dime, ¿es este el final? Ha salido de mi vida tantas veces y ha vuelto a regresar. Temo por mi vida. Por favor, Dios, prométeme que me vas a cuidar.

Me levanto del sofá aturdida. Pasé la noche en el colchón intentando no dormirme para velar que esa puerta no fuese a ser violentada por él. Voy corriendo al cuarto de mi hija Penélope y ahí está dormida, ¿Cómo no se dio cuenta de nada?

Voy al clóset, y su ropa ya no está, su maleta tampoco, sus gavetas están vacías. Corro al ático y su pistola sigue ahí. Creo que es tiempo de salir huyendo de aquí.

Una nota sobre nuestra cama me detiene. No sé si abrirla o dejarla cerrada. Pero necesito saber: ¿Qué va a pasar? ¿Es este el final?

La nota dice:

"Pamela, te amaré siempre. Perdóname por no haberte sabido amar. Esta experiencia fue muy fuerte para mí. Ahora soy yo quien no te quiere volver a ver. Dios te ama, nunca había sentido algo así. No estaba seguro si Él era real. Ahora sé que sí. Quédate con Dios, con tu hija y con tu vida. Esto no es para mí. Si yo me quedo aquí puedo terminar matándote. Mañana mismo solicito el divorcio. Me voy a México, no quiero estar más aquí. No merecía lo que me hiciste Manuel".

- ¿Lo que le hice? Es el colmo.

Anoche cruzó la puerta tan embriagado que pensé que iba a matarme. Llevamos tres meses separados y quiere continuar sus hábitos, sus malos tratos, sus abandonos, sus abusos, sus mujeres y que yo le sirva como una esclava a sus antojos.

Le dije que no, y salí corriendo del cuarto. Él corrió detrás de mí diciendo palabras horribles. Me tomó por el cuello mientras me amenazaba y yo solo clamaba al cielo por la ayuda de Dios. Sus ojos se abrieron como si hubiese visto el mismo infierno. Me soltó y me miró con pavor en sus ojos.

- ¿Quién eres tú? - preguntó.

Yo respondí: - ¿Qué te pasa? Soy Pamela.

- Ya cállate, sal de mi vida. Ya no me vuelvas a hablar, haz el favor, no me toques -, decía él alterado.

Yo no entendía nada de lo que pasaba. Sus ojos estaban aturdidos, rojos, lucía como atormentado.

- Pues yo no sé si tú hablas con Dios o con el diablo, pero él me habló a mí. Y me dijo que si te toco voy a morir. Yo lo oí. ¿Tú no lo oíste, pues?

- No, Manuel, pero lo que sentiste fue el temor de Dios. No me hagas más daño por favor, vete de aquí.- le supliqué.

Él cayó sobre sus rodillas en un llanto descontrolado. No sé cómo mi niña no despertó. Yo me senté sobre el sofá aterrada; no sabía que esperar. Parecía un demente.

Comenzó a gatear en 4 patas y se fue a la habitación. Yo escuchaba como si estuviese haciendo maletas, pero no me atrevía a acercarme.

Solo oraba: - Señor, cuida nuestras vidas, Padre. -

Tenía mis ojos cerrados, lloraba, y no paraba de orar. Pasaron quizás 10 minutos y de pronto un portazo. Salió de la casa. Escuché su vehículo Porsche prender el motor y salir a toda velocidad. Yo clamaba a Dios dando gracias.

- Señor, estoy viva, Padre, me has salvado una vez más.-

Comencé a colocar muebles contra la puerta para que no pudiese volver a entrar. Una mezcla de gozo y miedo me invadía. Paz e incertidumbre a la misma vez. Regresé al sofá para seguir orando, pidiendo que no fuese a regresar. "Esperaré a que amanezca y me iré a la casa de mi mamá; ya no volveré nunca a este lugar", me dije.

Dios mío, pasé la noche en ese sofá. La pesadilla terminó. Un mensaje de texto llega a mi celular, es Manuel. No puede ser. El miedo me invade otra vez.

El texto incluye dos fotos. La foto de su boleto de avión a México y la foto de la solicitud de divorcio. "Adiós, Pamela, no te quiero volver a ver."

Sentí paz. Sentí dolor.

Manuel debía haber utilizado sus contactos e influencias para lograr en solo unas horas tener en su mano una solicitud para iniciar el divorcio. Y el dinero no era un obstáculo para él, supongo que pagó un alto precio por ese pasaje. ¿Qué va a pasar con su vida y sus negocios? No lo sé, y verdaderamente, no quiero saberlo. Solo espero que esta vez sea verdad.

Oré...

Señor, ¿por qué me encuentro en esta situación? Yo pensé que me había casado para toda la vida. Pensé que tú lo resolverías.

- Hija, lee 2da. de Timoteo 3: 2-5 y encontrarás respuestas.

"...Porque habrá hombres amadores de sí mismos, avaros, vanagloriosos, soberbios, blasfemos, desobedientes a los padres, ingratos, impíos, sin afecto natural, implacables, calumniadores, intemperantes, crueles, aborrecedores de lo bueno, traidores, impetuosos, infatuados, amadores de los deleites más que de Dios, que tendrán apariencia de piedad, pero negarán la eficacia de ella; a éstos evita."

Paz.

-Señor, tengo 28 años y tantos errores en mi vida. ¿Será posible que tú cambies mi situación? ¿Será posible para ti?

"He aquí que yo soy Jehová, Dios de toda carne; ¿habrá algo que sea difícil para mí?". (Jeremías 32:27)

"Porque nada hay imposible para Dios". (Lucas 1:37)

CAPÍTULO

Parada sobre el mar

"El lugar más seguro para caer son tus rodillas."

No podía creer que esto estaba sucediendo. Había sido una hermosa boda en una playa como esta... amigos cercanos, una lluvia romántica, que, ahora que lo pienso, parecía prever que sería un matrimonio lleno de lágrimas... pero pensé que era el sello de nuestro amor. Hace ya un mes nos divorciamos y fue necesario hacer un alto. Venirme unos días sola a pensar, a descansar en otro país, esto me debe hacer bien. Al menos eso dijo mi amiga-psicóloga Lisa.

Me encuentro en una hermosa playa en Aruba, completamente sola, intentando componer los pedazos rotos que quedaron de un matrimonio frustrado lleno de gritos, malos tratos, abusos e intimidación. Había conocido lo inesperado.

Aquí en Aruba no conozco a nadie. Necesito tomar unos días y pensar. Mi hija se quedó con mi mamá en Miami. Mi consejera dice que necesito tiempo para sanar, el pastor dice que necesito que Dios me sane. Tiempo... Dios... ¿Sanar? Ambos están de acuerdo en que necesito sanar porque estoy: enferma (dice ella), rota (dice él), ¡loca (digo yo)! Sí, loca, porque parece que elijo mal todas las veces. Tengo 28 años, soy madre soltera, divorciada de un padrastro fallido y abandonada muchas veces ¿Será que el problema soy yo?

Así que bueno, creo que estando aquí en tan paradisíaco lugar, debo hacer algo divertido para que cuente, algo que siempre he querido hacer y nunca me he atrevido. ¡Me encantaría hacer paddle board! Tengo que mantenerme alegre, no me puedo dejar deprimir y en esa carta Él me lo dice claro: hay algo mejor por venir. Tengo que creer. Necesitaré leer esa carta todos los días hasta que lo pueda creer. Una carta de 6 páginas que marcó mi vida.

Caminaré por la playa para ver si encuentro uno de esos lugares que rentan el equipo y entrenan a la gente. Es irónico que me encuentre sola en este hermoso lugar. Quizás aquí encuentro el verdadero amor...

- Tranquila, Pamela, cálmate, enfócate y no mires hacia el lado. Ya está bueno de ponerte el primer salvavidas que se te cruza. - pensé.

¡Uh! Alcanzo a ver a un pequeño señor con las tablas, eso es, están rentando el equipo. Me acerqué para preguntar.

- ¿Cuánto es la renta de la tabla? - pregunté en español porque tenía cara de latino.

- Son $25 por una hora si tienes experiencia. Si no lo has hecho antes tengo que ir contigo y entrenarte, y eso tiene un costo de $35 la hora. ¿Tienes experiencia? - me preguntó el señor.

Por un momento confieso que pensé mentir. Quería hacerlo, pero no quería pagar extra por mi falta de experiencia.

- ¿Ese el precio por mi desconocimiento? - le pregunté sarcástica.

Asintió con la cabeza mientras dijo: - La gente perece en el agua por falta de experiencia y conocimiento. -

¡Buff! Nunca había sido tan claro para mí el concepto hasta ese día: "*Mi pueblo perece por falta de conocimiento*" (Oseas 4:6, BLPH). Creo que Dios me está hablando, pensé.

Así que determinada a embarcarme en esta nueva experiencia, pagué el precio.

Luego de un aburrido entrenamiento en la arena que yo creí no necesitar, entramos al agua y me indicó que debía iniciar hincada sobre mis rodillas.

Miré a mi alrededor y vi a otras personas que entraban al agua y directamente se paraban sobre la tabla, así que decidí no seguir el consejo y le dije:

- No, vamos directo a la acción, quiero aprender parada de una vez. -

Él asintió con su cabeza con cara de desconcierto irónico, y me permitió comenzar mi aventura. Me paré sobre la tabla y mis rodillas comenzaron a temblar inmediatamente.

Estaba completamente expuesta ante todas las personas de aquella playa y no tenía idea de cuál era el siguiente paso. Y recordé un detalle importante; solo aprendí a nadar como perrito, es decir, ¡no sé nadar!

Allí estaba yo, parada sobre la tabla y pasmada. Fue mi decisión, pero desde ese momento supe que debí seguir su consejo y comenzar de rodillas. Pero, seamos bravos, estamos aquí.

- ¿Cuál es el siguiente paso? - pregunté, pretendiendo estar en control.

- Es necesario que comiences a moverte. - Su tono irónico fue evidente.

- Debes hacer lo que te dije en la orilla que debías hacer. ¿Recuerdas? - Yo le había estado dando actitud en toda la enseñanza, y al parecer se dio cuenta.

- Debes mantenerte remando, permanecer en el centro de la tabla y no perder el balance para que no te caigas. - me explicó pacientemente.

Mientras estábamos en la arena, me dio una explicación bastante amplia de qué debía hacer en el agua. Inclusive, hicimos ejercicios en la arena de cómo debía ejecutar. Honestamente menosprecié ese tiempo, no puse toda mi atención y ya me encontraba arrepentida de no haberlo escuchado mejor. El orgullo pudo más. No quería sentirme una novata frente a tanta gente, vamos.

"Hija, el lugar más **seguro** *para caer son tus rodillas".*

En ese momento, mi vida comenzó a pasar por mi cabeza como una película. Comencé a recordar cuántas veces el pastor, mi mamá, y mis amistades más cercanas quisieron advertirme de cómo era el matrimonio, y las razones por las cuales debía considerar, al menos, la posibilidad de que él no fuera el indicado. Pero no lo hice. Así como no consideré el hecho de no saber nadar para decidir tratar de hacer paddle board y no quise ponerme el salvavidas. Llegué al matrimonio así como llegué a esta tabla, sin haberme preparado lo suficiente, sin querer escuchar y recibir instrucciones y sin saber qué era lo correcto hacer. No escuché. Pero, bueno, comencemos a remar. Al fin que aquí estamos.

Comencé a moverme lentamente y en medio del terror fue lindo escuchar a personas hablando español en el agua, y es que estando por encima del mar lo escuchas todo. Incluso las carcajadas cuando alguien en otra tabla se caía al agua, qué cruel.

- Vea, mae, no sabés lo que estás haciendo -

Ese fue el comentario que me hizo acercarme. El acento era "pura vida" a mis oídos. Un grupo de Costa Rica que estaba vacacionando. Me acerqué con mi paddle board tratando de lucir confiada y sonriente, pero la verdad buscaba una excusa para detenerme. Así que les pregunté:

- ¿Han hecho esto antes? - Pero no alcancé a escuchar la respuesta porque en ese mismo momento perdí el balance, y mientras me balanceaba y me sentía como tarada, solo lograba escuchar...

- Tírate de rodillas - Era la voz de mi entrenador que sabía que estaba por caerme al mar. Y sin dudarlo un momento lo hice. Me tiré sobre mis rodillas en la tabla; fue impresionante darme cuenta del poder de esa acción. Esa movida evitó mi caída, apenas podía creerlo.

"Hija, el lugar más seguro para caer son tus rodillas."

Escuché su dulce voz en mi corazón. ¿Qué quieres enseñarme? Sé que estás aquí hoy. Era la voz de Dios.

Estaba sobre la tabla en mis rodillas y en ese momento decidí que era tiempo de tomarme un descanso, y me senté sobre mi tabla a hablar con mis nuevos amigos, que no paraban de reír, mientras el reloj del alquiler seguía corriendo. Me tragué la vergüenza porque el temor de pararme era mayor. Ese tiempo me ayudó un poco a calmar mis nervios, así como lo estaban haciendo mis vacaciones en Aruba.

- ¿De dónde eres?- me preguntaron.

- Soy de un lindo pueblito en la costa oeste de Puerto Rico.- respondí. ¿Y cómo no vi venir lo que me dirían?

- Pero si eres de Puerto Rico debes ser experta en *surfing* y en paddle board - comentó uno de ellos. Y es que la gente piensa que si eres de una isla automáticamente sabes nadar, pescar y tienes un bote. Pero, en fin, me distraje un rato hasta que tomé valor y decidí regresar a la realidad. El entrenador esperaba silencioso, mirando el reloj.

Así que me dije: "Solo tengo que hacer exactamente lo que hice al inicio para ponerme de pie sobre la tabla". Pero algo sucedió. Perdí completamente el balance y sin saber cómo recuperarlo, en mi proceso de pararme, me caí al mar despiadadamente. Tengo que decir que soy agradecida del hecho que no golpeé mi cabeza con la tabla, eso hubiese sido terrible. En ese momento los nervios se apoderaron de mí, pensaba que me iba a ahogar, no sabía nadar, así que lo más pronto posible, con una mano sujeté la tabla. Estaba tan nerviosa por no morir ahogada que no lograba escuchar lo que las personas a mi alrededor me decían:

- Son solo cuatro pies de profundidad, pon tus pies en la arena.-

¿Mis pies en la arena? No sabía si era peor la vergüenza de haberme caído o la de pensar que me estaba ahogando. Y es que en medio de cualquier situación, nuestra preocupación por la imagen es un arma letal para poner vergüenza sobre nosotros.

Fui madre soltera con solo 18 años. Mi hija, Penélope Sofía, hoy tiene 10, es mi mayor orgullo. Su nombre Penélope significa "la que espera" y su nombre Sofía significa "sabiduría". Exactamente lo que yo necesitaba: saber esperar y sabiduría.

Fueron muchas las veces que fui señalada por no haber actuado en el orden correcto. Nadie parecía reclamarle lo mismo al padre de mi hija que se había ido a conquistar a otras mujeres dejándome embarazada, pero a mí me tocó enfrentar el mundo.

El *salvavidas* entorpece el ascenso.

- Pamela, vuelve a la tabla, no pasa nada - me decía el entrenador pacientemente con su acento venezolano. Así como cuando fallamos y ese buen pastor nos dice, no pasa nada, hija, ven el domingo. Pero pensé para mí: "Voy a sorprender al entrenador, no esperaré a que me recomiende usar el salvavidas". Así que lo desamarré de la tabla y estando en el agua me lo coloqué. El entrenador me miraba con cara de sorpresa y sonreído. Yo pensaba que me estaba luciendo. Abroché todos los botones y dije: "Listo, voy a subirme a la tabla". Ahora sí estaba determinada a aprender y tomármelo en serio. Pero era imposible subirme a la tabla. El salvavidas no me dejaba. Era como un estorbo. En ese momento escucho la voz del entrenador, sutilmente decir...

- Hija, ese salvavidas te va a hacer imposible lograr lo que te propones. Quítate el salvavidas si quieres subir. -

Fue un momento ¡wao! para mí. Me pregunté: ¿Cuántos otros salvavidas me han estado alejando de mi destino? Había estado mirando a los hombres como un salvavidas. Eso decía mi terapeuta Lisa. Siempre llevaba prisa por conocer al amor de mi vida. Sentía que se me estaba haciendo tarde, que quizás nadie me querría, que no merecía ser feliz... Así que mis temores me llevaban a buscar afanosamente un salvavidas, pero ese salvavidas estaba entorpeciendo mi ascenso a la tabla, pues ¡pa' fuera!

*"Mi **poder** se perfecciona en tu debilidad".*

Me quité el salvavidas y utilicé todas mis fuerzas para subirme a la tabla. Pero mis brazos no me ayudaban a lograrlo. No me sostenían. Nunca había sido fuerte en la parte superior de mi cuerpo, y el gimnasio y yo estamos peleados. Miré al cielo preguntando: ¿y cómo lo hago si con mis propias fuerzas no puedo?

Pude sentir una respuesta en mi corazón que me dijo:

- Mi poder se perfecciona en tu debilidad -. Esa voz, nuevamente...No era la primera vez que la escuchaba, pero comenzaba a descifrarla cada día más. No siempre me era clara. Había aceptado a Jesús en mi corazón, pero no le daba el señorío de mi vida. Quería que fuera una relación pausada.

En ese momento "mi instinto" me dijo que si ponía una pierna sobre la tabla, dado que mis piernas eran más fuertes que mis brazos, quizás eso me iba ayudar a subir la mitad de mi cuerpo y mis brazos solo tendrían que subir una pequeña parte. Así lo hice, coloqué una pierna sobre la tabla y el resto de mi cuerpo vino con ella. Es maravilloso el poder de descubrir dónde radican tus fuerzas. Así que ahí estaba nuevamente sobre la tabla, pero esta vez de rodillas, humilde. Miré al entrenador y le dije

- Ahora quiero hacerlo bien, ¿qué se supone que haga? - En este proceso pude darme cuenta de que mis impulsos no me van a llevar tan lejos como puede llevarme mi paciencia en el proceso.

En ocasiones, caerse es un acto de misericordia de Dios para evitar una fatalidad mayor y eterna.

Pensé: "A veces la vida nos da segundas oportunidades". Mi mamá suele decir que en ocasiones, caerse es un acto de misericordia de Dios para evitar una fatalidad mayor y eterna. No puedo negar que esos momentos nos ayudan a abrir nuestros ojos y darnos cuenta de cuánto más necesitamos aprender. Así que decidí comenzar otra vez y el entrenador me dijo:

- Ya sabes cómo pararte, aplica lo que has aprendido. - Parecía que cada enseñanza que el entrenador me daba era un golpe a la realidad de mi vida. Me puse en pie, porque ya me había caído tantas veces en la vida que sabía exactamente que el próximo paso era simplemente ponerme en pie sin pensarlo mucho. Y comencé a hacer lo que ya también sabía: remar, echar pa'lante.

Quien permanece de **rodillas**, *difícilmente cae.*

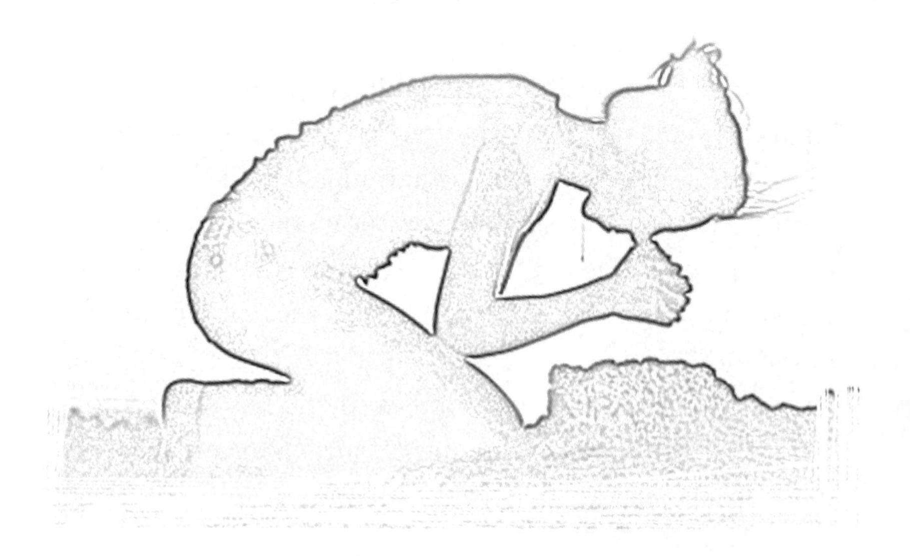

Es en las rodillas que nos fortalecemos
y nos hacemos sabios.

CAPÍTULO

Lecciones profundas

"Para poder avanzar tenemos que sumergirnos profundo."

Elia Pilardo

"Dura cosa te es dar coces contra el aguijón".
(Hechos 26:14)

- Pamela, quiero explicarte algo, y quiero que por favor me pongas atención.- Me sentía como regañada, pero lo acepté humilde porque verdaderamente había tanta dulzura en su voz.

- Yo tengo muchos años practicando deportes acuáticos, soy de la isla de Margarita en Venezuela. *By the way,*[1] me puedes llamar Luis. - dijo sonriente. - Si tuviese hijos serían de tu edad, pero mi buen Dios no nos concedió a mi esposa y a mí ese gran privilegio. Nos dio muchos otros, y muchos hijos espirituales. -

Perder la calma te lleva a extremos peligrosos,
y perder el **balance** *es el anticipo a la caída.*

Su comentario puso un nudo automático en mi garganta. Yo perdí a mi papá a los 5 años y hasta hoy lo recuerdo como mi superhéroe que nunca he dejado de extrañar. Yo soy "Daddy's Little Girl"[2] - así me llamaba. Quise abrazarlo en ese instante. Pero me contuve.

- Las enseñanzas que vas a recibir, vas a poder aplicarlas en el agua, pero también serán grandes lecciones para tu vida. - continuó explicando paciente.

- Hablemos del balance y de la calma. Balance: necesitas mantenerte en el centro. Si te vas a los extremos, tu peso te hará perder el balance y perder el balance es el anticipo a la caída. Calma: cuando pierdes la calma cometes errores e impulsas tu cuerpo inconscientemente hacia los extremos, que te harán perder el balance y caer. Así que no te salgas del centro ni pierdas la calma.

---

[1] Significa "dicho sea de paso".
[2] Expresión en inglés para el término "la nena de papá".

- ¡Wao! Tiene razón, esto necesito aplicarlo en la vida. Cada vez que me pongo "extreme" me meto en problemas, y cada vez que pierdo la calma meto las patas.

Luis continuó explicando: - Para lograr esos dos principios básicos, debes practicar en situaciones seguras. No te expongas antes de estar lista. Así que quiero que vayas de punto A a punto B por un buen rato para que te familiarices con tu tabla y con el mar. Quiero que permanezcas en este sector que te estoy señalando porque cualquier cosa que te suceda puedes escuchar mi voz y estás en poca profundidad. -

Familiarízate antes de **comprometerte.**

Esa fue tremenda idea. Él me estableció límites claros y me indicó que debía familiarizarme antes de comprometerme. Debí saber eso antes de haberme casado.

Comencé a remar de un punto al otro. Cada repetición me daba más seguridad en lo que estaba haciendo. Comencé a sentirme cómoda. Al cabo de un rato mi comodidad era tanta ¡que sentía gozo! Una canción colombiana que cantan en la iglesia a la que estoy asistiendo comenzó a salir de mi interior: "No voy a retroceder siempre pa'lante iré, yo vine a conquistar la tierra que tú me das, y como Josué, tu Palabra yo guardaré, y como Josué, me llamaste a conquistar[3]". Esto

[3] "Me llamaste a conquistar", de Salomón De La Rosa.

comenzó a ser terapéutico, ¡qué bien! Me sentía como una surfeadora en Aruba.

Señor, quiero dejar que la fuerza de tu presencia me mueva, que la bravura de tu amor me defienda, que la experiencia de tu eternidad me guíe.

Meditaba en todo lo que estaba pasando al otro lado del mundo. Repasaba las decisiones que tenía que tomar y confrontaba mis miedos más profundos. Después de meses de oscuridad me sentía viva otra vez. Honestamente, no sentía dolor por haberme divorciado, sentía mucho arrepentimiento por haberme casado con él. Sabía que todo iba a ser mejor ahora, pero también sabía que era un proceso.

Poco a poco fui tomando confianza con la tabla hasta que decidí que quería avanzar, tomar velocidad. Quería impresionar, pero la verdad es que mis brazos se me estaban quemando y no era del sol. Sentía que las fuerzas no me daban. Le daba golpes al agua tratando de ir rápido.

El entrenador a distancia pareció darse cuenta de mi lucha y con una voz suave me dijo: - No pelees con el mar. Él es más fuerte que tú, más bravo y tiene más experiencia. Usa su fuerza para fluir con él. –

¡Uff! Dije en alta voz. Así es Dios, así es mi vida. Me la paso peleando por avanzar. Luchando en mis fuerzas por cambiar lo que no puedo y por ir a mi ritmo.

"No peleéis contra Jehová el Dios de vuestros padres, porque no prosperaréis." (2 Crónicas 13:12)

En ese momento oré: "Señor, quiero dejar que la fuerza de tu presencia me mueva, que la bravura de tu amor me defienda, que la experiencia de tu eternidad me guíe".

Quiero fluir con su Espíritu, como lo hacen otros. Quiero dejar de intentar ayudarle. Creo que quizás Dios puede hacerlo todo sin mí. He querido controlar todo lo que sucede en mi vida, y ¿quién controla el mar? Solo Dios. No he sabido disfrutar de los buenos momentos, y aprender a esperar en los momentos de dificultad. No he querido conocer las temporadas y reconocer si los vientos son favorables o contrarios. He pasado la vida peleándome con el mar. Azotándolo para avanzar. ¿Qué tan distinto sería si me calmo, si dejo afuera la prisa?

Cada enseñanza estaba logrando un despertar en mi interior.

"Todo tiene su tiempo, y todo lo que se quiere debajo del cielo tiene su hora." (Eclesiastés 3:1)

"Vanidad de vanidades, todo es vanidad. ¿Qué provecho tiene el hombre de todo su trabajo con que se afana debajo del sol?". (Proverbios 1:2-3)

Después de esa meditación profunda, me sentía preparada lo suficiente para salir de ese espacio limitado que el entrenador me había dado. Así que le pregunté: - ¿Puedo moverme a otras aguas? Y él me dijo: -Si te sientes confiada, hazlo, pero recuerda, si quieres avanzar, tienes que ir profundo con el remo.

Te prometo que no entendí lo que me estaba diciendo. Creo que él esperaba que yo le preguntara, pero por honor y dignidad (orgullo), me hice la entendida. Muy pronto lo descubriría. Comencé a remar alrededor de la playa. Me acerqué bastante a la orilla y luego me alejé de la orilla...

Quien permanece de **rodillas**, *difícilmente cae.*

Y no sé en qué momento me fui a un área que se consideraba mar abierto, o sea, más de 10 pies de profundidad quizás... Me percaté porque comencé a ver los botes pasar muy cerca de mí, y los jet-skis iban casi volando. El oleaje comenzaba a levantarse más y más, y era muy intimidante. No tengo idea de cuánta podía ser la profundidad del mar, pero mi corazón comenzó a palpitar a 1,000 millas por hora. Clamé a Dios y pensé: "No vine a Aruba a morir; Señor, ayúdame". Estaba tan lejos que no me era posible escuchar la voz del entrenador y para colmo estaba de espaldas a la orilla. No habíamos llegado a la lección de hacer virajes. Lo único que pude pensar fue ponerme de rodillas y de una vez orar. Recordé que el que permanece de rodillas, difícilmente cae. Al hacerlo sentí que retomé un poco el control de la situación.

Me pareció peculiar que no hubiésemos hablado de cómo hacer girar la tabla 180 grados. Así como quizás al entrenador le pareció peculiar que yo me hubiese metido en este problema en altamar. Me tocó dejarme llevar por el instinto, que era la voz de Dios en mi corazón. Poco a poco logré girar la tabla en dirección a la orilla. Al hacerlo pude darme cuenta de que el entrenador estaba levantando sus brazos tratando de decirme algo.

Para poder avanzar
tenemos que sumergirnos profundo.

A veces nos alejamos tanto que dejamos de escuchar la voz que nos dirige. Nos aislamos de nuestra familia y de las personas que nos aman y buscan orientarnos. Eso es exactamente lo que yo hice. Me aislé de mi iglesia, de mis pastores, mi familia y mis amistades por entrar en un matrimonio que era como un peligroso mar abierto lleno de tiburones. Pero me dije: "No es momento de pensar en eso, es momento de pensar en la solución". Y recordé las últimas palabras que me había dicho el entrenador: "Si quieres avanzar, tienes que ir profundo con el remo". En fe, sin entender, lo hice.

"Hija, para poder avanzar, sumérgete profundo".

Comencé a introducir el remo al mar lo más profundo que podía. Estando sobre mis rodillas me sentía segura y sentía que tenía un mejor control. Me enfoqué en remar y puse mi mirada y mi total concentración en lo que estaba haciendo. Mientras lo hacía me imaginaba que cada remada era un clamor a Dios. Pude entender que cuando estamos en una situación de peligro, solo avanzamos cuando nos metemos profundamente con el Señor.

Yo había evitado entrar a profundidad y en ese instante entendí que solo iba a poder avanzar si comenzaba a entrar profundo en la comprensión de su Palabra, si profundizaba en mi oración y en mi relación con Él. No pasó mucho tiempo cuando estaba frente al entrenador. Y con una sonrisa de aprobación me recibió. Qué bien se siente cuando has cometido tantos errores y aun así hay alguien que puede sonreír y decirte "bien hecho"; cuando hay alguien que puede mirar tu esfuerzo y reconocer que aunque te has equivocado, has luchado por salir adelante de la situación.

Estaba exhausta. Era tiempo de irme a la habitación y descansar. Había hecho el ejercicio del mes completo en una sola tarde. Y había aprendido tanto. Tenía mucho en lo que reflexionar...

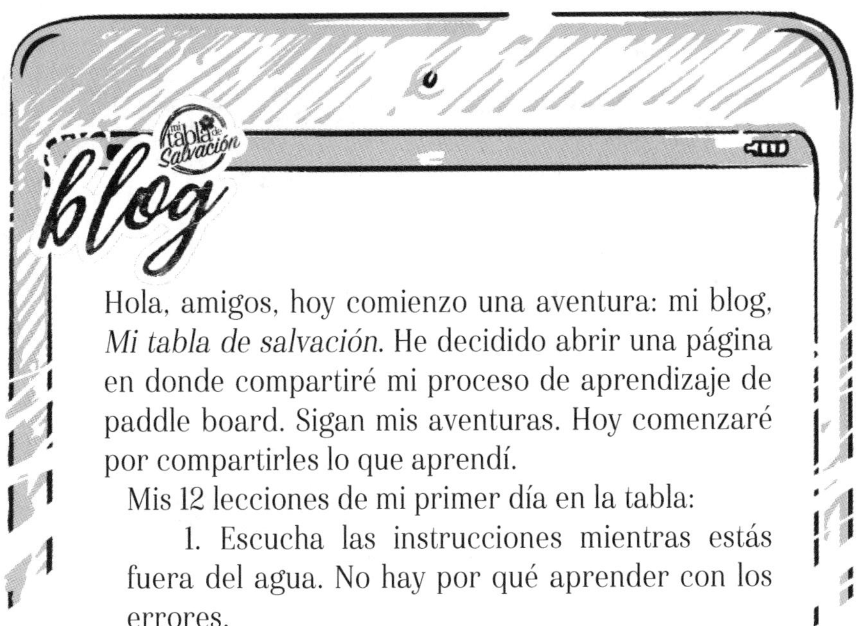

Hola, amigos, hoy comienzo una aventura: mi blog, *Mi tabla de salvación.* He decidido abrir una página en donde compartiré mi proceso de aprendizaje de paddle board. Sigan mis aventuras. Hoy comenzaré por compartirles lo que aprendí.

Mis 12 lecciones de mi primer día en la tabla:

1. Escucha las instrucciones mientras estás fuera del agua. No hay por qué aprender con los errores.

2. Sé humilde; se comienza siempre de rodillas. ¿Quién tiene prisa?

3. Mantén tu centro. Si te vas a los extremos, pierdes el balance y te caes.

4. Usa el salvavidas antes, no cuando ya estés en aprietos.

5. A veces el salvavidas entorpece el plan de ascenso.

6. Si vas a caer, tírate de rodillas. El que permanece de rodillas difícilmente se cae.

7. No dejes que la vergüenza dañe la aventura de la vida.

8. Descubre dónde Dios puso tus fortalezas y úsalas para impulsarte.

9. Mantén la calma en momentos de crisis o caerás precipitadamente.

10. Establece límites claros y familiarízate antes de comprometerte.

11. No te pelees con el mar. Disfruta el paseo y el proceso.

12. Profundiza cuando quieras avanzar. No se trata de ir rápido, sino profundo.

"Escucha el consejo y acepta la corrección, para que seas sabio el resto de tus días". (Proverbios 19:20, LBLA)

Si te gustó, compártelo en tus redes sociales y usa el #mitabladesalvacion

SHARE

Aun con marcas y con heridas,
he de continuar y de ***caminar*** *sobre el mar.*

CAPÍTULO

Un nuevo *comienzo*

"He aquí que yo hago cosa nueva; pronto saldrá a luz; ¿no la conoceréis? Otra vez abriré camino en el desierto, y ríos en la soledad." (Isaías 43:19)

¡Qué emoción, comencé por fin mi propio blog! Siempre había querido hacerlo. Este es de verdad un nuevo comienzo. ¡Qué feliz me siento!

No puedo detener mis pensamientos sobre todo lo aprendido en esta tarde. ¿Cuántas veces en la vida he entrado en situaciones sin saber en lo que me estaba metiendo? ¡Qué agallas las mías! Me pregunto, ¿por qué siempre tengo que cometer los errores primero y luego aprender la lección? ¿Por qué no puedo aprender primero y así no cometo el error? Ojalá que no me escuche mi madre porque tendría mucho que opinar al respecto.

Al reflexionar sobre todos los momentos de impulsividad en mi vida tengo que reconocer que he pasado la vida entera buscando que un hombre llene el vacío que había dentro de mi corazón. Nunca me había detenido a pensar si yo estoy lista para entrar a una relación hasta que Lisa, mi terapeuta me lo dijo. El vacío que había dejado la muerte de mi padre era evidente. Lo recuerdo grande, fuerte, tan apuesto, valiente y cariñoso. Cada día de mi vida lo he extrañado. Recuerdo cuando jugábamos en la playa, cuando nos hacía cosquillas a mí y a mi madre, las caminatas sobre sus hombros, mi alegría cuando llegaba a casa. Lo recuerdo perfectamente.

Un día salió a pescar y nunca regresó. Su cuerpo nunca fue hallado, se lo tragó el mar. ¡Tantos temores que surgieron en mí a partir de eso! Desde ese entonces había decidido contemplar al mar desde la orilla. Era una sensación de intimidación que me paralizaba. Hoy fue un día de conquista. Mi hija, Penélope Sofía, por el otro lado, era un pececito en el mar. Desde muy pequeña comencé a llevarla y a través de ella pude hacer las paces con el mar. Hoy fue un gran día. No hay duda de que hoy algo nuevo comenzó.

Salí de la habitación para buscar un poco de hielo y al tratar de regresar al cuarto, el magneto de la llave había dejado de funcionar. ¿Por qué siempre me pasa eso? ¿Será solo a mí? Bajé al lobby para pedirle a la chica de recepción que me cambiara la llave y mientras esperaba, escuché cerca de mí una dulce voz femenina con acento venezolano. Me volteé a mirar y era una mujer de muy baja estatura de unos 55+ años con su uniforme de empleada del hotel. ¡Me puse tan contenta cuando escuché español! Es que no hay nada mejor que escuchar a alguien hablando en tu idioma cuando estás en un país extraño. Así que no dudé en ir a conocerla.

- Hola, mi nombre es Pamela, ¿trabajas aquí? -

La pregunta era obvia, pero era una excusa para iniciar la conversación. Y con un tono tan maternal que me parecía escuchar a mi mamá, me respondió: - Sí, mi niña bella, aquí para lo que pueda servirle. - me dijo.

No pude resistir darle un abrazo de mucho gusto. Me sentía vulnerable y su tono dulce en ese momento fue como dice la Biblia, salud para mis huesos.

Panal de miel son las palabras agradables,
dulces al alma y salud para los huesos.

Proverbios 16:24 (RVR 1960)

- Mi nombre es Pamela, y estoy aquí de vacaciones, vivo en Miami ¿Cuál es su nombre? - Mi nombre es Sandra, soy natural de Maracaibo, pero viví muchos años en Margarita y mi esposo y yo nos vinimos a Aruba hace 3 años, en espera de unos documentos para irnos a vivir justo a Miami próximamente. - me comentó entusiasmada. - Allá nos vamos a vivir con el hermano de mi esposo para ayudarle con sus negocios. Así que por el momento trabajamos ambos aquí en Aruba. Yo soy mesera aquí en los restaurantes del hotel y mi esposo tiene un negocio de paddle board en la playa –, comentó.

- ¡No me diga! - exclamé sorprendida. - ¿Su esposo es uno bajito fornido? - pregunté. - Sí-, respondió ella, -su nombre es Luis –, me dijo. - Wao, qué pequeño es el mundo. Si es él, yo fui su estudiante hoy en la playa. – Ambas reímos ante la gran coincidencia. Era una peculiar casualidad. Ya sé que la isla es pequeñita, pero aquí entendí el refrán que dice que el mundo es un pañuelo.

Sandra era la esposa de mi entrenador de paddle board. Sentí una conexión tan especial con esta mujer, como si la conociera de toda la vida. La sentí familia, quería abrazarla una y otra vez. En ese momento la chica con mi nueva tarjeta interrumpió el momento para entregármela y Sandra se fue a tomar una orden a unas personas en el lobby. "Yo tengo que hablar con ella otra vez", me dije. Así que pacientemente esperé y me acerqué cuando hubo terminado, y le dije:

– Sandra, gracias.

- ¿Gracias por qué, muchacha?

– Solo conocerte me hace sentir segura. Siento que no estoy sola acá en Aruba. Lucho mucho con ansiedades y venir sola de vacaciones a este país ha sido un reto.

– No, mi niña, tú no estás sola, chama. Tú tienes un Padre Celestial que siempre te cuida, y Él coloca a personas como nosotros cerquita para lo que necesites.

- No sabes cuánto aprendí hoy con tu esposo, realmente fue una bendición para mí. - le comenté.

Ella me respondió: - Mira, hagamos algo, yo termino mi turno hoy a las 8:00 pm. Ve a darte una ducha, descansa y alcánzame aquí en el lobby a esa hora. Mi esposo y yo vamos a salir a caminar por la ciudad. Puedes venirte con nosotros. Nosotros no tenemos hijos físicos, pero sí muchos hijos espirituales que Dios nos ha permitido cuidar en momentos de necesidad, y tenemos espacio para otra hija.

El atardecer es la **promesa** *de un mañana,*
e incluye una invitación a descansar en Dios.

Sus palabras llenaron mis ojos de lágrimas de emoción. Ella no sabía que su esposo me había dicho algo muy similar y ella me estaba abriendo una puerta muy deseada por mí: unos padres espirituales. ¡Qué lindo es encontrar personas así en el camino! Son como un regalo para el alma angustiada.

- En eso quedamos, Sandra, aquí nos vemos a las 8:00.

Me fui contenta a mi habitación, sabiendo que la tarjeta dañada fue solo una excusa de Dios para permitirme tener este momento. Apenas la conocí y sentí que era familia, enviada, no sé, algo casi sobrenatural, pensé. Y luego, es la esposa del entrenador, esto se está poniendo bueno. ¡Ya no estoy sola!

Eran las 5:00 de la tarde, me senté un rato en el balcón de mi habitación para mirar el atardecer. Amo los atardeceres. El atardecer es la promesa de un mañana, y viene acompañado de una invitación a descansar en Dios.

Debo comenzar la asignación que mi psicóloga Lisa me había recomendado. Debía hacer una lista de los pensamientos negativos que venían a mi mente y me causaban tristeza, y colocarle al lado un versículo de la Palabra de Dios que los cancelara. Haber encontrado a una psicóloga cristiana fue otro envío directo de Dios a mi vida. Lisa era argentina y las tardes de reunión con ella eran una locura entre aprendizaje y risas. ¡Qué personalidad tan encantadora tenía esa mujer! Ella fue la que me inspiró a escribir todas las memorias según iban pasando, y también me había motivado a iniciar mi propio blog. Pero esa lista... esa lista era confrontadora.

Esta es mi lista de pensamientos destructivos que debo reemplazar:

1. Estoy completamente sola.
2. Me han pasado por alto.
3. Nadie me necesita.
4. Yo no importo.
5. A nadie le interesa lo que me pase.
6. No va a regresar.
7. Dios también me ha abandonado.
8. No hay quien me proteja.
9. No puedo confiar en nadie.
10. Tengo miedo de que no vuelvan, de perderlos.

¡Qué terrible lista! Verla frente a mí me quebrantó el espíritu. Pero de inmediato la voz de Dios vino a rescatarme. Y una vez más comenzó a susurrar a mi oído y comencé a escribir su voz.

1. No estoy sola porque Mateo 28:20 (LBLA) dice: *"He aquí, yo estoy con vosotros todos los días, hasta el fin del mundo".*
2. Dios nunca me pasa por alto porque su Palabra dice: *"Fíjense en las aves del cielo: no siembran ni cosechan ni almacenan en graneros; sin embargo, el Padre celestial las alimenta. ¿No valen ustedes mucho más que ellas?".* (Mateo 6:26, NVI)
3. Yo soy importante porque Dios dice: *"A cambio de ti entregaré hombres; ¡a cambio de tu vida entregaré pueblos! Porque te amo y eres ante mis ojos precioso y digno de honra".*
   (Isaías 43:4, NVI)
4. Yo soy valiosa porque Dios dice: *"¡Es más valiosa que las piedras preciosas!"*
   (Proverbios 31:10, NVI)
5. A Dios le interesa lo que me pase y Él dice: *"¿No se venden cinco gorriones por dos moneditas? Sin embargo, Dios no se olvida de ninguno de ellos. Así mismo sucede con ustedes: aun los cabellos de su cabeza están contados. No tengan miedo; ustedes valen más que muchos gorriones."*
   (Lucas 12:6-7, NVI)

6. Aún si no regresan... *"Aunque mi padre y mi madre me dejaran, con todo, el SEÑOR me recogerá"*. (Salmo 27:10)

7. Dios nunca me abandona... *"Cuando pases por las aguas, yo estaré contigo; y si por los ríos, no te anegarán. Cuando pases por el fuego, no te quemarás, ni la llama arderá en ti"*. (Isaías 43:2)

8. Estoy protegida por Él... *"Dios es nuestro amparo y fortaleza, nuestro pronto auxilio en las tribulaciones"*. (Salmo 46:1)

9. Confío... *"Cuando siento miedo, pongo en ti mi confianza"*. (Salmos 56:3, NVI)

10. No temeré... *"Ustedes quédense quietos, que el Señor presentará batalla por ustedes"*. (Éxodo 14:14, NVI)

Usaré esta lista en mi blog. Si me ayuda a mí, puede ayudar a otras personas. #mitabladesalvacion

"No busques un nuevo comienzo en el corazón, sino en el espíritu. Enamórate de Dios".

"Lo que es nacido de la carne, carne es; y lo que es nacido del Espíritu, espíritu es". (Juan 3:6)

La tarde había caído y me levanté a relajarme un poco después de ese ejercicio mental. Sabía que era un proceso necesario para sanar, pero era a la vez intenso.

Así me lo dijo mi terapeuta Lisa. Mientras me tomaba un refrescante baño pensaba:

"¿Cómo pude cometer tantos errores? ¿Por qué siempre tomo decisiones erróneas? He sido un terrible ejemplo para mi hija, Penélope. Pero bueno, nada saco con lamentarme. Estoy aquí para empezar de nuevo y voy a vivir el proceso hasta sanar".

Cuando callo, gano tiempo y cuando espero, obtengo **recompensa**.

Descansé un poco y me levanté lista para ir a conocer Aruba junto a mis nuevos amigos. No logré divisarlos entre las personas en el lobby, así que me dirigí a un pequeño café que había en el hotel con vista al hermoso Mar Caribe. Ya estaba bastante oscuro, pero la brisa y el sonido del mar eran un regalo de Dios. Pedí una limonada mientras esperaba y meditaba en ese verso que dice: *"Bueno es esperar en silencio la salvación de Jehová"* (Lamentaciones 3:26). He aprendido que cuando callo, gano tiempo y cuando espero, obtengo recompensa. No me adelantaré a los planes de Dios sobre mi vida, porque Él tiene un plan y yo quiero conocerlo.

Se me iluminó el rostro cuando vi la sonrisa de Sandra aproximándose hacia mí, dulce y sonriente.

- ¿Cómo está, señorita? - me preguntó.

- Sandra, ¡qué alegría verte nuevamente!, pero no soy señorita, soy señora.

- Ah, bueno, en ese caso debes ser muy feliz con tu esposo. ¿Dónde está el afortunado?

– Bueno, esa es una larga historia que quizás luego te contaré – respondí.

– OK, ya tendremos tiempo para eso. Yo terminé mi jornada de trabajo por el día de hoy y mi esposo y yo queremos invitarte a conocer Aruba.

Deseaba con todo mi corazón salir del hotel y conocer otras áreas, pero no tenía con quien. Así que salir a caminar con dos personas que hablan mi idioma fue maravilloso.

Sandra y yo caminamos hasta fuera y allí estaba esperándonos Luis, el entrenador.

- Hola, Don Luis, ¿cómo está? Hoy conocí a su esposa casualmente.

— Sí, sí, me dijo Sandra que se conocieron, pero me quita lo de Don, que me hace más viejo. - Todos reímos.

– Ok, Luis. Y, ¿cómo lo hice hoy en la tabla? Fue mi primera vez, no estuvo tan mal, creo. - Luis asintió con la cabeza gentilmente y entonces dijo:

- Solo tienes que aprender a dejarte llevar por el que sabe. Si escuchas y te dejas dirigir por la sabiduría y la experiencia de alguien más, todo te va a ir bien en la vida.

Comenzamos de rodillas para ir conociendo el área;
nos ponemos de pie cuando estamos
listos para ir a la batalla.

Lo que tienes que hacer es detenerte y escuchar antes de iniciar algo. Siempre escucha las instrucciones primero, pacientemente; eso te va a salvar de muchas situaciones. Y un detalle más, no desprecies los comienzos pequeños. Comenzamos de rodillas para ir conociendo el área, nos ponemos de pie cuando estamos listos para ir a la batalla. Pero es en las rodillas que nos fortalecemos y nos hacemos sabios. No hay prisa, dedícale tiempo a aprender, a practicar y también dedica tiempo a orar y tú verás como todo tiene solución.

Es en las rodillas que nos **fortalecemos** *y nos hacemos sabios.*

En ese momento sentí que me estaba hablando mi pastor. Tenía un nudo en mi garganta y pareciera que él sabía cuán quebrantada estaba yo en aquel lugar.

- Ustedes son gente de gran fe, ¿verdad?, quise confirmar.

- Nosotros amamos al Señor, solo somos sus humildes servidores- contestó sabiamente Sandra.

- Y ¿qué hacen por acá? Es decir, ¿qué los hizo mudarse de Venezuela a Aruba?

- Nuestros planes siempre fueron irnos para Miami, pero ha tomado un tiempo mayor del que esperábamos y dadas las situaciones que están pasando en Venezuela quisimos venir a Aruba en nuestra temporada de espera.

Hemos entendido que cuando la espera puede ser larga es mejor tener sillita de playa. - Reímos.

- Yo vivo en Miami, wao, qué alegría saber de sus planes. ¿Qué piensan hacer en Miami?

- Wao, otra gran casualidad, si podemos llamarle de esa manera. - dijo Luis.

- Nosotros debemos estar mudándonos el mes próximo si Dios lo permite. Estamos esperando por unos documentos y listo, nos vamos. Allá mi hermano tiene varios negocios de paddle board, así que el plan es ir a ayudarlo y desarrollar el negocio en otros lugares. Nuestra compañía se llama "Walk on Water"[4] y hacemos no solo entrenamiento en paddle board, sino también recorridos ecológicos. Es una excelente manera de disfrutar la creación de Dios y meditar en la paz de su presencia. La Florida es sin duda uno de los mejores lugares para practicar surf de remo. Por eso queremos irnos a vivir allá.

-Qué impresionante, no puedo esperar a verles allá.

- Sabes, la versatilidad de una tabla de paddle board nos permite llegar a aguas poco profundas y áreas estrechas. También es un deporte que pueden practicar un niño y una persona mayor, una persona delgada, fornida o más pesadita. Siempre nos aseguramos de que todos los tours tengan una sesión informativa de seguridad, algunas instrucciones básicas de remo en tierra y nuestro propósito es añadir algo más. Queremos incluir la parte espiritual. Hay grandes aprendizajes que podemos tomar de este hermoso

---

[4] "Camine sobre agua".

pasatiempo, y cada recorrido es de aproximadamente 2 horas y nos permite reflexionar sobre lo aprendido. Los recorridos son diseñados basados en el área, la marea y las condiciones climáticas.

- Wao, eso es maravilloso, - dije yo - eso significa que cuando regrese a la Florida ya tengo un lugar donde practicar mi nuevo hobby.

Caminamos alrededor de los restaurantes y las pequeñas tiendas tan coloridas y alegres. Disfrutamos la belleza de aquel hermoso lugar, sabiendo que estábamos en un lugar temporero, pero que las cosas que Dios estaba haciendo allí, eran con propósitos eternos.

- Hija, los procesos de Dios son perfectos, nada pasa por casualidad, sino con propósito. - me aseguró Sandra. Luis y Sandra no habían llegado a mi vida por casualidad. Eran un matrimonio lleno de amor, como el que nunca había conocido. Impartieron tanta sabiduría en mí y yo necesitaba ponerlas por escrito. Les conté un poco sobre mi vida.

- Mi padre murió cuando era muy niña, mi mamá y yo nos mudamos a Miami, y en mi adolescencia me envolví en una relación destructiva. Tenía 15 y a los 18 me dejó embarazada por otra mujer. Rápido me volví a enamorar y ese otro me dejó porque no quería ser padre de mi hija siendo tan joven. Sufrí mucho con esa desilusión y así fue que decidí aceptar a Jesús en mi corazón. Pero creo que quise ayudar a Dios y conocí a otro hombre muchísimo mayor que yo, y a pesar de todas las banderas rojas y advertencias, me casé con él. Hace un mes me divorcié después de muchos maltratos y amenazas.

No busques un nuevo **comienzo**
en el corazón, sino en el espíritu.
Enamórate de Dios.

Les conté que había comenzado a escribir un blog esa tarde y que estaba lista para un nuevo comienzo.

Ambos me miraban sorprendidos de cómo tan joven había vivido tanto. Sandra respondió preocupada por lo que podría significar ese nuevo comienzo y me dijo:

– Hija, cuidado, no busques un nuevo comienzo en el corazón, sino en el espíritu. Enamórate de Dios. Tu historia es la de muchas jóvenes que andan perdidas sin saber su real valor y cometen un error tras otro. Este es momento de detenerte y saber en dónde vas a poner tu corazón. Ponlo en Dios. – me dijo.

Ella piensa que yo puedo ser de inspiración. ¿Pamela siendo de inspiración? ¿Quién me lo creería? Mi vida no ha sido un ejemplo para nadie hasta hoy. ¿Será que Dios cambia mi destino? ¿Será que hay un plan mayor y mejor? Creo que todos los errores de mi vida han sido porque he pensado que los hombres son un salvavidas... ese mismo que quizás si mi padre hubiese utilizado no le habría dejado morir en el mar. Pero hoy comprendí que hay algo mejor que eso. ¿Quién necesita un salvavidas cuando tenemos a Jesús? Hoy descubrí que Jesús es *mi tabla de salvación.* Por eso titulé así el blog. Le daré honra al que de verdad me hace estar de pie sobre todo mar de adversidades.

Cuando la ***espera*** *puede ser larga,*
es mejor tener sillita de playa.

La *insensatez* de mi juventud

"Repasar nuestra historia nos lleva a mirar con una lupa e identificar donde estuvieron los errores para poderlos corregir."

"La necedad está ligada en el corazón del muchacho; mas la vara de la corrección la alejará de él". (Proverbios 22:15)

Hoy he decidido levantarme temprano para salir a practicar paddle board con Luis y poder en la tarde continuar escribiendo en mi blog. ¡Qué emoción! Mi tabla de salvación. Comenzar con esta tarea no es asunto fácil. Significa abrir mi corazón en áreas vulnerables de mi vida. Significa retroceder en el tiempo para contar un poco mi historia... Y compartir lo que aprendo, según lo aprendo.

La idea guarda completo sentido con lo que me ha dicho mi psicóloga Lisa que debo hacer. A veces repasar nuestra historia nos lleva a poder mirar con una lupa e identificar dónde estuvieron los errores, para poderlos corregir. Tengo muy claro que la ausencia de un padre durante mi crianza jugó un papel fundamental en muchos de los errores que cometí. Pero también reconozco que mi mamá hizo un trabajo excepcional tratando de criarme lo mejor que ella pudo. Ella era estilista y no sé cómo se las arreglaba, pero siempre sacaba tiempo para mí. Yo pasaba largas horas en el salón de belleza ayudándola, pasaba la escoba, ayudaba a cobrar a los clientes, a veces simplemente entretenía a las personas cuando ella estaba retrasada.

Pero también había tiempo para mí. Comíamos mayormente fuera porque en el poco tiempo que nos quedaba en las tardes no alcanzaba para preparar comida más hacer mis tareas de la escuela. Pasamos mucha escasez económica, no lo puedo negar. Casi siempre compartíamos el plato de comida. Vivíamos en un pequeño apartamento y no teníamos grandes lujos. Tampoco íbamos con frecuencia a la iglesia, solo en ocasiones especiales. Pero sí sabíamos de la existencia de Dios; eso nunca se cuestionó en mi casa. Mi mamá decidió hacer de mí su asignación más importante y dejó a un lado su propia vida para cuidar de la mía. Nunca pensó en volverse a casar. Al menos, si lo hizo no me lo dijo. Pero yo creo que me hubiese gustado tener un padrastro. Quizás eso hubiese ayudado un poco. No lo sé.

El sonido de la puerta me sorprende y me saca de mis pensamientos. Corro a ver quién toca y para mi hermosa sorpresa era Sandra.

- Hola, Sandra, ¿qué haces acá?

- Vine a traerte desayuno, mi niña. Sé que vas con Luis a practicar el paddle board y necesitas tener fuerzas.

- Wao, no te hubieses molestado, qué lindo detalle. ¿Puedes pasar? ¿Puedes quedarte conmigo mientras como?

Sandra pasó y comenzamos a conversar.

- Oye, niña, me preguntó intrigada. - ¿Cómo fue que te involucraste tan jovencita en una relación destructiva? ¿Tu madre no se dio cuenta?

- Ay, Sandra, no fue su culpa. Yo tengo que reconocer que desde muy niña fui muy enamoradiza. Siempre había algún chico que me gustaba en la escuela, siempre había una ilusión pasando por mi mente. Ella siempre estaba tratando de modelarme un buen ejemplo y orientarme sobre eso. Pero cuando llegué a la escuela superior vi a este chico alto de ojos verdes, cabello un poco largo y rizado, era rubio y a mis ojos, era perfecto. Él no era un estudiante; él trabajaba como parte de un equipo de constructores en la escuela. Yo me esforcé mucho para que se fijara en mí y al cabo de un tiempo lo logré. Él comenzó a mirarme, me saludaba cuando pasaba y yo me sentía la mujer más afortunada del mundo. Bueno, la niña más afortunada del mundo. Apenas había cumplido 15 años y no sabía en lo que me estaba metiendo. Su nombre era Alberto.

- Comenzamos a pasar tiempo en las esquinas afuera de la escuela. Mis amigas me decían: "Él es un viejo para ti", "No te fijes en él". Yo creía que tenían envidia. A nadie le hice caso. Alberto tenía 22 años, era cubano y yo confieso que vivía encantada con su acento, tan varonil ante mis ojos. – continué contando.

- Seguimos viéndonos y no dudé en comentárselo a mi mamá. En fin, que yo creía que estaba conociendo al amor de mi vida. Mi mamá para nada estuvo de acuerdo y me reprendió fuertemente, incluso me castigó. Ella comenzó a hacerme bien difícil el poder pasar tiempo con Alberto. Aun mis amigas se fueron en mi contra; ellas no entendían nuestro amor. Yo seguí insistiendo en vernos a escondidas y él era mi mejor cómplice. Una tarde al salir de la escuela veo a lo lejos a Alberto haciéndome señas desde un auto. Me acerqué entusiasmada y me dijo: - Ven conmigo, acabo de comprar este auto y quiero que vayamos a tomar un helado.- Era la primera vez que íbamos a estar completamente solos y fuera del área escolar. Mi mamá no iba a poder impedir que yo pasara tiempo a solas con él. Mi corazón latía rápido.

Fuimos de paseo en su auto "por un helado" y continuamos paseando alrededor de Miami. De pronto nos detuvimos en un pequeño apartamento en un área que yo no conocía. Él me invitó a pasar y yo honestamente no deseaba hacerlo, pero tampoco quería desilusionarlo. Accedí temerosa sin saber que ese día perdería lo más valioso que Dios le da a una mujer, y de forma forzada. No entendía lo que había pasado, pero quería justificarlo. Sentía dolor, vergüenza y miedo. Estaba arrepentida de haberme metido en esa situación y llena de vergüenza por lo que había pasado. No había pensado ni por un segundo que eso sucedería. Parecía un momento irreal. Una pesadilla. Era el deseo de mi corazón cuidar mi virginidad hasta el matrimonio, eso fue lo que mi mamá me enseñó y había cultivado ese sueño. Ahora la había decepcionado para siempre, a ella, a Dios y a mí misma.

Repasar nuestra **historia** *nos lleva a mirar con una lupa e identificar dónde estuvieron los errores para poderlos corregir.*

Él se mostraba indiferente, parecía que para él era algo completamente normal. Y se reía de mi "dramatismo". Él me dijo que me amaba y que eso era lo natural que pasara cuando dos personas se amaban. Yo sentí que el mundo se me venía abajo. En el silencio, desde aquella oscura habitación clamé a Dios que me ayudara. Inmediatamente pude sentir un calor que me cubrió de la cabeza hasta los pies y cubrió mi desnudez. Sin saberlo, Su presencia y Su misericordia estaban conmigo. Pero también supe que era el inicio de algo que Dios no aprobaba.

Los días pasaron sin volvernos a ver y la vergüenza cada día me angustiaba más. No sabía absolutamente nada de nuestro futuro. Ni siquiera sabía si podría estar embarazada; era completamente ignorante de ese tema. Al cabo de unas semanas volvió a la escuela y se mostró un poco distante conmigo. No entendí su reacción y me acerqué inocentemente a preguntarle qué pasaba. Él respondió de forma muy seria preguntándome a qué hora salía para que pudiésemos hablar. Yo muy interesada y preocupada respondí y me mostré disponible a esa "conversación". Solo me buscaba con una intención muy clara: continuar aquel patrón que yo no supe parar.

La confusión me arropó. Me acostumbré a eso y comencé a pensar que eso era amor, que el amor así se mostraba; que debía sentirme agradecida de que él me amaba tanto que soportaba mi desconocimiento. Si yo le pedía explicaciones o me negaba a eso, él amenazaba con dejarme. - No, tranquila, chica, si tú no quieres está bien conmigo, aquí lo dejamos, partimos por lo sano y cada quien pa' su casa. - Esa era su dura respuesta.

Durante casi tres años accedí a esta relación que yo llamaba noviazgo... y él ni siquiera me llamaba. Él solo me buscaba en "la ocasión". Mi mamá sabía que yo mantenía comunicación con él, pero ni siquiera imaginaba en lo que yo andaba. Me había convertido en una experta mentirosa y estaba sumergida en una relación de codependencia. El valor que yo me daba era el que él me asignaba, o sea, ninguno. Eso era un "novi-azco".

Un día en la escuela comencé a sentir malestar estomacal muy fuerte, llegué a mi casa vomitando y sintiendo que todo me daba vueltas. Mi mamá, preocupada, me llevó al hospital. ¡Cuál fue su sorpresa al descubrir que yo estaba embarazada! La vi palidecer frente a mí y yo ni siquiera sabía qué decir. Traté de explicar lo mejor que pude lo que estaba pasando y quise venderle la historia de que era una relación estable y con un futuro prometedor. Le expliqué que él tenía su propio apartamento, un vehículo, y que todo estaría bien entre nosotros al terminar la escuela superior.

Al día siguiente fui a la escuela ansiosa por verlo y decirle lo que estaba pasando. Realmente no sabía cuál sería su reacción, pero nunca anticipé lo que descubriría. Cuando le dije a Alberto lo del embarazo me insultó como si yo hubiese hecho algo malo. Lágrimas corrían por mis ojos, pero esa no era la peor parte. Cuando terminaron sus insultos, comenzaron sus verdades.

Alberto tenía una pareja con la cual convivía y planificaba casarse. Esa persona definitivamente no era yo. Él había jugado conmigo descaradamente durante todo este tiempo. Pero según él, era culpa mía. Él puso toda la responsabilidad sobre mis hombros por haberlo "seducido". Al final, fui yo la que lo miré primero, y él simplemente había respondido como "hombre que es". Lo que me pasó me lo busqué y yo debía enfrentarlo sola. Él tenía otra vida en la cual yo no tenía espacio, una vida de la cual yo no tenía conocimiento en absoluto.

Nunca más volví a ver la cara de Alberto.

Los meses pasaron, y mi mamá y yo enfrentamos juntas esta situación. Mi niña nació en verano y yo tenía 18 años.

No sabía que iba a hacer con mi vida, pero sabía que tenía que ser madre. Decidí llamarle Penélope Sofía. Penélope porque había una canción popular que parecía que me describía: la que espera sentada su regreso. Y Sofía porque era el nombre que sonaba en mi interior aunque no lo entendía. Luego supe que significaba sabiduría. Quería pensar que todo había sido un error, una mentira, un mal chiste o una pesadilla.

De cariño le decimos PitaSofía. Ella trajo a mi vida alegría, esperanza y una pura ilusión. Dentro de mi falta de conocimiento y juventud logré hacer una significativa oración:

"Señor, así como me adoptaste hija tuya cuando mi padre me abandonó, así sé tú el Padre de mi hija también. Haz con ella como has hecho conmigo. Prometo ser la mejor mamá que yo pueda, prometo imitar el ejemplo de mi madre, pero, por favor, lleva tú, Dios, el rol de su Padre. Yo no puedo hacer esto sin ti. Amén."

Yo sentí que esa oración sencilla y sin gran teología fueron sinceras palabras y muy poderosas.

- Y lo fueron, hija, lo fueron-, respondió Sandra. Wao, hija, tu historia con ese hombre es muy fuerte. ¿Tú lo has perdonado? - me preguntó.

- Yo pienso que sí.

Continuamos nuestra conversación y sus consejos me dejaron inspirada para escribir en mi blog mis "take aways"[5] de nuestra linda plática.

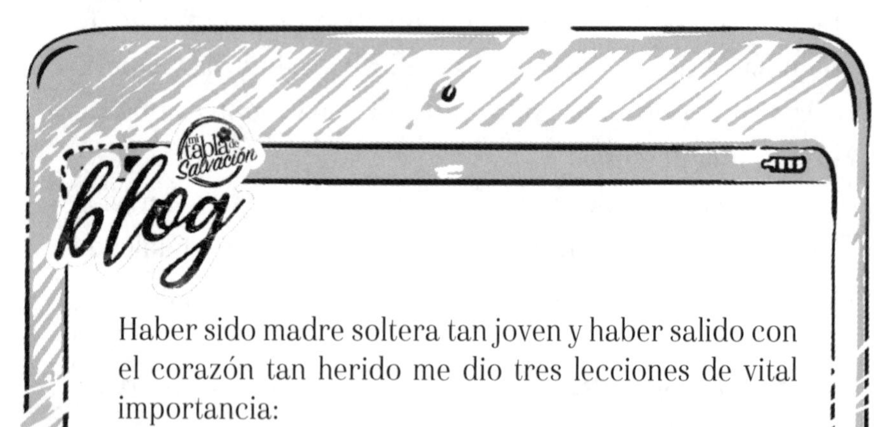

Haber sido madre soltera tan joven y haber salido con el corazón tan herido me dio tres lecciones de vital importancia:

1. Aprendí el valor del consejo
    - En la multitud de consejos hay sabiduría.
    - Muchos trataron de detenerme y yo fui a un profundo hoyo como ferrocarril descarrilado.
2. Descubrí el valor de la obediencia.
    - No necesitamos entender el porqué, solo obedecer.
    - Pude entender ese Proverbio que dice: "Hijo, no abandones la enseñanza de tu madre". Las madres ciertamente ven lo que uno en su limitada conciencia de la vida no alcanza a comprender.

[5] Significa "lo que me llevé".

3. Entendí que no se debe jugar con fuego.
    - Me senté en la silla de los escarnecedores y pagué el precio.
    - Usé la insensatez y tomaron ventaja de mi inocencia.

Pero también aprendí otras cosas.

- Aprendí a perdonar.
    - Cuando miro hacia atrás, puedo darme cuenta de que tan culpable fue él como lo fui yo. No puedo sentirme víctima de la situación porque no lo fui. Sí es cierto que él tomó ventaja de mi inocencia. Sí es cierto que él forzó algo que yo no quería. Sí es cierto que fue un mal hombre.
    - Pero decido hacerme responsable por aquello que yo hice, para poderlo corregir y nunca volver a cometer ese mismo error. Reconozco que me fijé en el físico y no tomé en consideración ninguna de las señales que me decían que no era una persona adecuada para mí.
    - No escuché el consejo de mis amigas y de mi madre. En una situación peligrosa, mentí, y no respeté la ley de mi propia escuela escapándome con él. Fui temeraria y asumí riesgos para nada controlados. Me mantuve en una relación que no era para nada saludable y no le comuniqué a nadie la doble vida que estaba llevando. Yo solita me metí a la boca del león esperando no ser devorada.

o Hoy asumo la responsabilidad para hacer un cambio.

o Hoy también decido perdonarlo. Lo perdono porque aun reconociendo todas las cosas que él hizo y cuánto daño me causó, hoy entiendo que era una persona quebrantada con un pasado que lo marcó negativamente, y que no ha sabido convertirse en un hombre para asumir la responsabilidad de su vida, dejar atrás las mentiras e ir por aquello que realmente quiere.

o La vida siempre nos hace pagar las consecuencias de aquello que hacemos mal. Por tanto, lo que suceda con él en su futuro no está en mis manos, sino en las manos de Dios y de sus propios actos.

o En mis manos está perdonarlo para poder soltar ese vidrio que cortaba mi mano y poder continuar una vida de amor hacia mi hija sin dejar que el recuerdo de quien es su padre empañe la pureza que los ojos de mi Penélope Sofía irradian.

o Decido perdonarlo para no tener que hablar mal de él a mi hija y ensuciar una imagen de quien quizás nunca va a conocer.

o Decido presentarle a mi hija al padre que nunca abandona: Dios.

o Prometo decirle toda la verdad desde el momento en el que tenga conciencia de ello, y ayudarla a sanar las heridas que tanto él como yo provocamos por irresponsables.

o Y finalmente me perdono a mí misma. Me perdono por mi ignorancia, por mi insensatez y por mi falta de juicio. Me libero de toda atadura que establecí con ese hombre en el nombre de Jesús. Y desde ahora decido ser libre y feliz para ser la mejor mamá que puedo ser.

Si este blog ha tocado tu vida, compártelo en tus redes sociales bajo el #mitabladesalvacion

"Me libraste del varón violento. Por tanto, yo te confesaré entre las naciones, oh Jehová..."
(2 Samuel 22:49-50)

Salí de mi habitación cerca del mediodía. Pasé unas horas escribiendo en mi blog, lo cual me encanta, y mis planes para el día se retrasaron. Ya mañana regreso a Miami y tengo que salir a hacer paddle board al menos una vez más.

Salí corriendo a la playa para buscar a Luis y no lo veía. Di vueltas de un lugar a otro, pero era en vano; no alcanzaba verlo. Me regresé al hotel en busca de Sandra para ver si ella sabía de su destino.

- Oh, sí, él se va a mediodía muchas veces a la marina. Hay un grupo de personas que quieren hacer paddle board en un lugar sin oleaje. Búscalo allá.

Yo no sabía dónde estaba metida, pero seguí sus instrucciones y en una isla tan pequeña no fue difícil llegar.

-Luis - lo divisé a lo lejos sobre su tabla y le comencé a llamar.

- Hola, chama, qué gusto verte, ¿vienes hoy a practicar? - me preguntó.

-Claro, yo tengo que salir de aquí una experta y me regreso mañana.

-Entonces, venga, déjale la plata al chamo de la cabina y llega hasta acá, que saldremos en grupo.

Corriendo me fui y pagué, y me uní a esta aventura segura de que sería más fácil que el día anterior.

Me coloqué el salvavidas y para esta aventura me tocaba subirme a la tabla desde el muelle, en lugar de entrar por el agua. Se veía fácil, pero no lo era. Lo hice de rodillas, para no comenzar mal mi travesía. Un éxito. Difícil sí, pero posible. Tenía grandes expectativas, me sentía una experta. Estaba súper lista. Había botes saliendo en todo momento hacia el mar a través del canal en el que estábamos.

- Pero si Sandra dijo que no había oleaje - dije pensando en voz alta.

- No, chama, no hay oleaje natural, pero los botes crean oleajes. Es como en los matrimonios. Hay algunos que manejan oleajes que son naturales de la pareja en sí, pero hay otros oleajes que son creados por nuestra humanidad y pueden ser muy densos.

-Ya empezamos, Luis, ya empezamos tempranito con las enseñanzas... - Reímos con mi evidente sarcasmo.

Yo me casé con Manuel llena de expectativas y sueños, como a todos nos pasa. Así como había entrado a aquella marina. Pensando que sabía bien lo que hacía. Yo idealicé todo. Pensaba que era un príncipe encantador, todo parecía ser perfecto. Llegamos de la luna de miel, estábamos tan felices. Manuel debía regresar a sus negocios, los cuales había tenido abandonados por mis "exigencias". Eso él me decía. Yo lo tuve ocupado ayudándome a organizar los detalles de la boda, "qué inconsciente", y luego tuvo que complacer mi pataleta de irnos una semana de luna de miel. ¿Cómo podía ser tan inconsciente?

Él tenía un negocio importante, era arquitecto de construcción. Tenía empleados a su cargo, responsabilidades que atender y yo con mis niñerías de celebrar mi primera boda lo había estado ocupando. Para él esta era su tercera boda, por tanto tenía experiencia y sabía que no debíamos poner tanto esfuerzo en ella. ¿Qué estabas pensando, Pamela?

En los matrimonios hay oleajes naturales de la pareja en sí, pero hay otros oleajes que son creados por nuestra humanidad y pueden ser muy densos.

Esa mañana regresamos de la luna de miel y Manuel dejó todo tirado en la nueva casa aun vacía, sin muebles, y se regresó a trabajar. Yo, cargada de maletas, regalos, decoración de boda y los vestidos de la celebración tomé una tonta decisión. Dejé todo tirado también y me fui a visitar a mi madre para contarle lo hermoso que fue, y buscar a mi hija. Me fui con ellas a arreglarme el cabello después de los días de playa, hice unas compras para la cena y me entretuve.

Al regresar a la casa, ¡qué tremenda sorpresa la mía! La casa estaba ordenada, al menos así parecía, pero llena de fotografías pegadas a las paredes. Me acerqué a mirar de qué se trataba, anticipando algo hermoso... Fui curiosa y ante mis ojos aterrados vi una fotografía de "mi desorden". Todo lo que había dejado mal puesto antes de irme había sido fotografiado y colocado como galería de nuestro nuevo hogar. No entendía el concepto.

Mis pertenencias ya no estaban donde las había dejado y miles de pensamientos pasaron por mi cabeza, menos la verdad. Busqué por toda la casa tratando de encontrar a Manuel y nuestras cosas. Para mi tranquilidad, al llegar a nuestra habitación las cosas de él estaban colocadas adecuadamente sobre el tocador del baño y su ropa doblada junto al colchón que estaba aún en el piso. Manuel no estaba. Salí a buscarlo fuera y fue cuando me llevé la mayor de mis sorpresas. Todas mis pertenencias, incluyendo mi vestido de novia, estaban dentro del bote de la basura.

"Si tú no eres capaz de cuidar la casa en la que yo te coloqué, si no puedes mantener tus cosas ordenadas, no me dejas alternativas; no puedes tenerlas. Tuve que hacerme cargo de mis pertenencias, porque evidentemente tú no sabes hacerlo. Creo que me casé con una niña, tienes que crecer o me vas a perder". Estas fueron sus palabras de reprimenda hacia mi terrible acción. Y la pesadilla había comenzado.

Los pensamientos y los recuerdos habían llenado mi cabeza de tal manera que me olvidé de poner atención y de pronto... este bote grande salió y generó una ola tan densa que me derribó al agua. El problema fue que entre la ola y mi cercanía a uno de los muelles y mi falta de coordinación en esto de la nadada, quedé debajo del muelle y agarrada de una de sus columnas.

-¡Qué miedo, Luis, ayúdame, mira que no vine a morirme a Aruba!

-¡Qué morirte, chama, de la risa ha de ser....! - Vení, dame la mano. No pasa nada.

Luis me ayudó a reincorporarme y usando mis piernas y toda mi fuerza intenté subirme a la tabla una vez más. Cuatro veces lo intenté sin éxito. Y a la quinta me subí y según me paré, me caí otra vez. "Ya me he caído hoy más veces que en mi primer día, ¿cómo es esto posible?".

"Concentración, reconoce en donde estás, cálmate y enfócate en salir adelante".

Eso fue lo mismo que pensé aquella primera noche: Debo poner más atención, soy una mujer casada y debo atender mejor a mi esposo para sacar esta relación adelante.

Mientras me paseo entre estos botes, vienen a mi memoria tantos recuerdos. Él tenía un bote de 32 pies que él amaba como a su vida. Me explicó que él manejaba sus propiedades por presupuesto y que su mayor inversión de dinero era en su bote, y que yo nunca podía competir con eso porque su bote le generaba negocios. Me dijo:

- Pamela, este matrimonio no me puede costar más de $2,000 al mes. Yo asigné un 5% de mis ingresos mensuales para sumarte a ti a mi vida. Cualquier gasto por encima de $2,000 lo tienes que asumir tú. Tienes que buscar ese dinero para no quebrarnos. -

¿Yo era un 5% de su vida?

Cuando Manuel y yo nos conocimos solíamos disfrutar las mismas actividades, a ambos nos encantaba la playa. ¿Qué nos pasó? Él era siempre tan galante, caballeroso, gentil... Pero recuerdo aquella noche que golpeaba las paredes y gritaba, agitaba mis hombros con deseos de golpearme, y estaba enfurecido a un nivel que nunca conocí. Quizás algo que comió o bebió le causó esa reacción. Ese no era Manuel. Tuve que ceder a tener intimidad con él a pesar de que no quería, para intentar calmarlo. Fue mi culpa. Debí haber notado que mi vestimenta esa noche era muy provocadora. Mis amigas me ocuparon mucho de mi tiempo en esa fiesta y seguro que eso lo hizo sentir abrumado, quizás despreciado.

Reconoce en dónde estás, **cálmate**
y enfócate en salir adelante.

Debí ser más sabia. Yo debo actuar como una mujer cristiana. ¿Cómo es posible que no sepa comportarme? Esos eran mis pensamientos en aquel momento. Él tan complaciente que me acompañó a la fiesta de cumpleaños de mi mejor amiga. Era el único varón en la fiesta. Claro que era una fiesta solo de amigas, pero a los demás esposos no les importan mucho sus esposas y las dejan solas. Él no me deja ir sola a ninguna parte; él me cuida.

De pronto, ¡paw!

-Pamela ¿estás bien? - preguntó Luis.

Yo estaba sobre mis rodillas en la tabla y no sabía ni como había llegado ahí.

Golpeé de frente una boya de la marina, una de esas altas como un poste. Al momento no supe qué golpeó la tabla y caí sobre mis rodillas. Frustrada me senté sobre mi tabla y Luis se me acercó a preguntarme si estaba bien. Me notó bastante distraída; estaba realmente ausente pensando en cómo pasaron las situaciones con Manuel.

-No sé si te dije, Luis, pero hace apenas un mes me divorcié. Él tenía bote y estar en este lugar ha despertado muchos recuerdos. - le dije con honestidad.

-Tranquila, hija, sanar es un proceso.- comentó, mientras se sentaba sobre su tabla para acompañarme. - ¿Puedo saber por qué se divorciaron?

- La pregunta correcta sería ¿por qué nos casamos?

- ¿A qué te refieres, hija? ¿Es que acaso desde antes sabías?

- Sí, Luis, sí sabía. En el fondo sí lo sabía. Había tantas áreas no trabajadas en mi vida, buscaba un padre y busqué un hombre mayor. Me sentía culpable de tantos errores y acepté sus malos tratos como parte de mi castigo. Y ¿por qué no decirlo? Los factores económicos también influenciaron en mí. Buscaba un alivio a mi condición de madre soltera y un padre para mi hija. Es vergonzoso admitirlo, pero fui como oveja al matadero. Yo no confiaba en mí y tampoco confiaba lo suficiente en Dios, por tanto había decidido ayudarle buscándome un marido.

-¿Qué te hizo tomar la decisión de divorciarte? - preguntó intrigado.

- Yo aguanté mucho. Él me echaba de la casa o se iba cuando se enojaba. Me daba bienes materiales y luego con ellos me humillaba, me gritaba y me intimidaba. Le gritaba a la niña y nos hacía sentir intimidadas. Él me mostraba su arma y me hacía entender que nunca lo empujara a usarla. Yo nunca lo confronté. Le temía. Manuel era un hombre 20 años mayor que yo y muy celoso. Era mejicano y había vivido siempre en el machismo cultural, había sufrido mucho maltrato de su padre y había en él mucha amargura. No creo que era un mal hombre, porque tenía momentos muy buenos. Pero un día un poste en el agua me impactó y me hizo ver.

-¿A qué te refieres? - me preguntó.

- A que una gran inesperada sorpresa me llevó a caer sobre mis rodillas en presencia de la verdad. Descubrí que Manuel visitaba prostíbulos constantemente. Llevaba una vida sexual muy oscura a la cual él me quería llevar si me quedaba, y por mi hija decidí escapar. Cuando lo descubrí se puso mal, amenazó indirectamente con matarme si destruía su reputación. Vi lo peor de él. Me gritaba: "Tú estás loca, tienes al hombre perfecto y lo quieres dejar". Él estaba seguro de ser víctima de mi desamor.

Fue un largo proceso de separación antes de que él solicitara el divorcio. Ahí fue cuando realmente aprendí a orar. Él era infiel constantemente, y abusaba de mí verbal, sexual y psicológicamente. Hablé con mis pastores y ellos me advirtieron: "Si no sales de ahí, ese hombre te va a matar. Sus celos, su carácter y su conducta, en general, hacen de él un candidato fuerte para llegar a hacer algo más". Oré, ayuné por días. Un día él mismo confesó que si no se iba, podía terminar matándome. Dios cuidó de mí, Luis. Dios me salvó. Yo hice lo que Dios me dijo, ayuno y oración, y esto pasó:

Someteos, pues, a Dios; resistid al diablo, y huirá de vosotros. Acercaos a Dios, y él se acercará a vosotros. Pecadores, limpiad las manos; y vosotros los de doble ánimo, purificad vuestros corazones. Afligíos, y lamentad, y llorad. Vuestra risa se convierta en lloro, y vuestro gozo en tristeza. Humillaos delante del Señor, y él os exaltará. (Santiago 4:7-10)

Reconocer que estás en una relación abusiva es difícil, sobre todo cuando ese hombre te manda señales combinadas. Te trata como a una reina, pero también te maltrata. Se cree superior a los demás y te aísla. Te puede dar muchas cosas, pero quiere ser el centro de atención de tu vida, por las buenas o por las malas. Estos hombres son encantadores al principio, pero son manipuladores. Carecen de empatía y son envidiosos por naturaleza. No les gusta recibir órdenes y no se muestran vulnerables jamás. Cuando encuentras un hombre del tipo narcisista, es muy posible que pase a ser un maltratante.

Te comparto la visión que Dios me dio sobre mi relación con este hombre. Se llama "La bella y la bestia", pero no tiene nada que ver con la versión original de la película:

Iba yo caminando de la mano de este hombre de aspecto fuerte, varonil, tosco, uno que fue un día muy guapo, pero que la amargura y los años le han ocultado su natural atractivo. Yo lucía bonita, alegre, sencilla, radiante, pero casual. La bestia se voltea sorpresivamente mientras yo entonaba una linda canción y vomita sobre mí. Desde mi cabellera hasta mis pies, todo quedó manchado con su vómito. Yo abro mis ojos sorprendida y lo miro buscando una respuesta. Él actúa sorprendido y gentilmente me pide disculpas, y dice que no lo pudo evitar. Me pide que no me preocupe, que él me ama como quiera; que él me guiará porque no veo claramente; que él me defenderá de la gente que me critica; que él me alejará de esos que me miran ahora raro; y que nunca estaré sola.

Él no me limpia, pero la lluvia y el viento van sacando de mí los residuos de tanta basura. El tiempo pasa y cuando ya he olvidado la primera afrenta y una vez más comienzo a bailar mientras camino entre los jardines, él se voltea una vez más y vomita sobre mí. Ya no me sorprendo, ahora lloro. Él me abraza y me dice: "¿Ves cómo te amo a pesar de tu basura?". Yo me encuentro confundida. Comienzo a dejar de entender a quién pertenece la basura. Comienzo a sentir que la basura soy yo. Luego de que esto pasa varias veces más, mi mirada se vuelve gris y mi cabeza no se levanta para saludar al día. Me agarro fuerte de su brazo esperando que su misericordia nunca me deje.

Al ver esta visión sobre mí y en quien me había convertido, entendí que estaba en una relación de abuso emocional, psicológico, verbal y a veces hasta sexual. Nunca me había golpeado físicamente, pero había dado a mi alma los golpes más monstruosos dejando en ella miedo e intimidación, inseguridad y confusión. Supe que no podía salir de allí sola. Necesitaba una red de apoyo. Necesitaba ayuda.

Amiga, si esta eres tú o sabes que tienes una amiga en esta situación, actúa. Comparte este blog y taguea #mitabladesalvacion para saber que lo viste. Juntas podemos encontrar una salida. Envía un email a mitabladesalvacion@gmail.com y te ayudaremos a encontrar una salida. No estás sola. Basta ya del abuso a la mujer.

Dios hace **sonreir** *mi corazón.*

CAPÍTULO

Aguas de muerte y aguas de vida

"El lugar más seguro para caer son tus rodillas."

Elisa Pilardo

"Mas el que bebiere del agua que yo le daré,
no tendrá sed jamás; sino que el agua
que yo le daré será en él una fuente de agua
que salte para vida eterna". (Juan 4:14)

Es día de regresar a la normalidad. En casa me esperan mi niña y mi madre, Noemí, y tengo que regresar al trabajo. Quise estudiar diseño de modas porque es algo que desde niña me apasiona. ¡Pero qué difícil es! Trabajo para una tienda en Brickell de una diseñadora brasilera. Aprendo con ella todos los días, pero ¡qué reto! ¡Qué carácter tiene esa mujer! Pero ni modo, es parte de mi proceso de aprendizaje. Algún día tendré mi propia línea de ropa y creo que le llamaré también *¡Mi tabla de salvación!* ¿Qué tal hacer ropa decente para ir a practicar paddle board en la playa? Yo quiero estar cómoda y no enseñando mis carnecitas que me han costado tantas sabrosas empanadas.

Tengo que ir a ver a Sandra y a Luis antes de irme, e intercambiar teléfonos. Quiero verlos una vez se muden a Miami. No podemos perder la comunicación.

-Hola, Sandra, ¿cómo estás? Vine a verte y a despedirme – saludé contenta a mi nueva madrecita espiritual, Sandra.

-¿Hija, ya te vas hoy?- preguntó asombrada.

-Sí, solo vine por 3 días, la responsabilidad me llama. Pero quiero volver a verles. ¿Cuándo se mudan a Miami?

- Pronto, hija, pronto. Dame tu teléfono y vamos a marcarte una vez sepamos la fecha, para ir a conocer a la niña y a tu mami hermosa.

Nos abrazamos fuerte como si nos conociéramos de años, sabiendo ambas que íbamos a extrañarnos.

Caminé a la playa para decir adiós a Luis antes de irme. Montarme en ese avión sin despedirme sería terrible. Amo las despedidas. Quizás porque no tuve la oportunidad de decirle adiós a mi “Daddy”, como yo le decía.

Divisé a Luis a la distancia y llamé su nombre. Corrí hacia él como si fuera un viejo amigo que hace mucho no veía.

-Luis, Luisito, te voy a extrañar - grité emocionada.

-Ay, mi niña, ya te nos vas, pero y ¿cómo uno ama tanto en solo dos días? – reímos.

Había sido un tiempo corto, pero tan emocional. ¡Yo aprendí tanto con ellos!

Era temprano en la mañana y noté que había un grupo que le esperaba. Pero todos estaban de blanco y no había tablas. Pregunté: – Luis, ¿qué hacen, hay una boda en la playa? –.

-No, mi hija, aunque bueno, las bodas del cordero quizás le llaman. Pero no, son bautismos. ¿Tú estás bautizada?

Avancé a responder. –Sí, yo hice eso una vez, me dijeron que era lo que me tocaba.

Él me miró extrañado y comenzó a decirme de lo que se trataba.

-Hija, el bautismo es el momento en que decides morir a ti para renacer en Cristo. Es cuando, después de haber aceptado el sacrificio de Cristo en la cruz, decides abandonar por completo la vieja criatura y morir al pecado. Te sumerges en el agua como acto de sumisión y representando la sepultura de tu carne. Cuando sales del agua lo haces como una nueva criatura. En Gálatas dice que todos los que han sido bautizados en Cristo se han revestido de Cristo.

Jesús dijo y así lo documenta Juan 3: 5 (NVI): *"Yo te aseguro que quien no nazca de agua y del Espíritu, no puede entrar en el reino de Dios".*

- Wao, Luis, y si yo me bauticé ya, ¿no es cierto que no puedo hacerlo de nuevo? - pregunté.

- Hija, si tú tenías conciencia del paso que estabas dando, no es necesario. Pero si hoy tú has entendido de qué se trata tan simbólico momento y deseas entrar en el agua y morir al yo para vivir en Él, que no sea yo quien te detenga -, me respondió.

Él se retiró después de sus palabras y continuó bautizando. Yo me senté en la arena a disfrutar de ese hermoso momento. Los miraba celosa. Verlos salir del agua con tanto gozo era maravilloso. Se notaba una gran diferencia, la que yo no experimenté cuando siguiendo instrucciones me bauticé 5 ó 6 años atrás. Ni siquiera recuerdo el día.

Mi corazón latía fuerte, sentía que me daría un infarto, y le dije a Dios en mi mente: "Si esto es algo que tengo que hacer, dime algo bien específico para convencerme". En ese momento, Luis dijo a los que observaban y aún no se decidían:

- Si tú estás pidiéndole a Dios una prueba específica para convencerte, entiende que Él a nadie obliga -. Cuando él dijo esas palabras, yo salté de la arena y corrí al agua en llanto para ser bautizada. Sabía que me había contestado audible a través de él y no dejaría pasar esta advertencia sin actuar.

Cuando mi cabeza fue sumergida dentro del agua cientos de recuerdos breves pasaron por mi cabeza. Fue como si un repaso de mi vida pasara ante mis ojos. Me levantaron del agua y sentí que algo se quedó sumergido en el agua. Una parte de mí quedó atrapada en el agua y yo salí libre. Saltaba de felicidad y reía mientras lloraba. Un gozo inefable me conmovió en mi interior y se manifestó. Les abracé a todos sin parar de brincar. Estaba energética a un nivel nunca conocido por mí.

-Has tomado la decisión más importante de tu vida. No mires atrás.- me dijo Luis.

-Nos vemos, Luis, los veo cuando lleguen a casa. ¡Los amo! Gracias, los amo tanto, ¡me voy feliz! - Me despedía gritando mientras caminaba. Ya estaba tarde para el aeropuerto, pero esta era una cita divina que Dios me había planificado.

Alcancé a tomar el avión, pero fui literalmente la última en abordar. Desde ese asiento lograba mirar las hermosas playas. Confieso que ver el mar siempre me confrontaba. Crecí pensando que si miraba mucho, si lo buscaba, quizás encontraría a mi padre flotando en algún lugar en alguna playa. En alguna isla, en alguna balsa. Era tan pequeña cuando nos dejó. Mi papá fue el amor más lindo de mi vida, hasta hoy lo extraño.

Recuerdo su sonrisa como si lo hubiese visto ayer. Recuerdo cuando me sostenía sobre sus piernas en el jardín de la casa. Recuerdo correr a la puerta gritando: "Daddy, Daddy"... Sentía que ese momento en el que él llegaba del trabajo, se bajaba de su Jeep y entraba en nuestra casa en aquel cerro en Rincón, parecía eterno. Mi papá era un hombre de tez muy blanca, alto, rubio, de hermosos ojos verdes. Un americano de Boston que había decidido hacer de Puerto Rico su hogar. Se enamoró de las olas de Rincón y del calor de su gente. Mi mamá lo conoció cuando tenía apenas 18 años y según él mismo solía contar, nunca había visto una trigueña más hermosa que Noemí. Mi mamá era tímida, un poco callada y de un sencillo carácter. Es muy fácil hacerla reír. Ella no es ocurrente como lo era mi papá; a él le heredé el carácter y los ojos. Pero mi mamá es una mujer fácil de ser amada. Servicial, coherente, estable, sensible. Una fiel seguidora de cualquier plan que le parezca correcto. Ha sido la mejor abuela que mi hija haya podido tener.

Mi papá y mi mamá se casaron muy jóvenes. Mi mamá tenía 20 y mi papá, 23. Mi papá andaba siempre en el mar. Solía surfear, bucear y pescar. Y esa era su profesión. Era pescador profesional y trabajaba para la atunera en el área de Mayagüez, Puerto Rico. Un horrible 15 de noviembre salió a las tres de la mañana para su trabajo como acostumbraba hacer cada día, y nunca más regresó. El mar se lo tragó. Su cuerpo nunca fue encontrado.

- Eres muy pequeña para entender - eso me decían todos. Apenas tenía cinco años, pero era tan viva, lo recuerdo todo. Recuerdo la búsqueda, la expectativa, recuerdo el dolor, recuerdo la ausencia. Su partida dejó secuelas profundas en mi ser.

Saber que un día lo volveré a ver no me basta; no me es un consuelo relevante. Hubiese querido tenerlo presente en cada cumpleaños, en cada compartir en la playa, en cada decisión importante. Hubiese querido que él me enseñara tantas cosas, presentarlo a mis amigos, hubiera sido una hija tan orgullosa. Siendo hija única la soledad se siente aún mayor; te vuelves el consuelo de tu madre, su mejor amiga, su hermana. Solo 21 años de diferencia en edad entre ella y yo hizo fácil que nos volviéramos tan cercanas. Pero tener el carácter de mi papá me hizo en ocasiones ser la figura fuerte de la casa.

Recuerdo cuando mi mamá me preguntó sobre irnos a vivir a los Estados Unidos. Tenía 7 años. Ni siquiera sabía que existía en el mundo algo más que Rincón, mi rincón. Pero, ella me enseñó fotos y me pareció interesante ir a conocer otras playas. Quizás mi papá estaba allá. Me anticipó que tendría que aprender un nuevo idioma, el idioma de papá. El idioma que ella no hablaba. Nunca anticipé cuán difícil sería el cambio. Pero nos fuimos a una nueva aventura para escapar de una dolorosa realidad. Hoy, 21 años más tarde, voy de regreso al lugar que se volvió nuestro hogar: Miami.

Daddy's Little Girl

CAPÍTULO

La *sabiduría* clama:
el "leash" que no puedo perder

Bienaventurado el hombre que halla la sabiduría, y que obtiene la inteligencia; porque su ganancia es mejor que la ganancia de la plata, y sus frutos más que el oro fino. Más preciosa es que las piedras preciosas; y todo lo que puedes desear, no se puede comparar a ella. (Proverbios 3:13-15)

- PitaSofía, mami llegó. Así exclamé cuando llegué a mi casa en Miami.

Recuerdo claramente que el día antes de saber que estaba embarazada me sentía físicamente mal. Me sentía rara. Yo batallaba mucho con pensamientos de suicidio, por lo cual pensé que quizás era mi tiempo de morir y yo estaba ok con eso. Por tanto oré esa noche y le dije al Señor: "No te pido que me des salud, dame eso que me hace falta".

Yo pensaba que lo que me hacía falta era morir, y Él decidió darme vida a través de mi hija y darme con ella la sabiduría que yo no tenía. Porque esa hija mía es un galón de sabiduría. Al día siguiente descubrí que estaba embarazada. Recuerdo que un dolor muy grande se apoderó de mi corazón porque dentro de mí sabía que Alberto no era una persona con la cual yo debía estar. Yo deseaba que fuera el amor de mi vida, pero dentro de mí sabía que eso no ocurriría. Han pasado 10 años de eso, y aun la veo como esa pequeña bebé.

-Mami, qué bueno que llegaste bien, ¿cómo te sientes? -preguntó mi hija.

-Penélope Sofía, yo soy tu madre, no tu hija. - Tengo que recordarle su edad constantemente; ella es demasiado madura para su edad. Tiene apenas 10 años y ya ha comenzado escuela intermedia porque la han saltado de grados. Pero es que ella al ritmo que va se volverá mi hermana mayor, pensaba mientras acariciaba su hermosa cabellera.

-Te compré unas cosas, mi amorcito - le dije cariñosamente.

-Ay, mami, no te hubieses molestado. Este viaje era para ti y no para traerme obsequios. Además, a mí no me falta nada. - Ella nunca deja de sorprenderme con sus respuestas.

Yo no logro anticipar lo que va a responderme. ¿Quién está adentro de esta chiquilla?

Recuerdo que el día que me hice la prueba de embarazo algo muy extraño surgió dentro de mí. Había una tristeza y un gran temor, pero a la vez había la esperanza de un gran gozo. Había una sensación de alivio como anticipando que la personita que venía iba a ayudar en algo. No sabía cómo, pero así lo sentí y desde ese día supe que su nombre era Penélope Sofía. Guardé eso como un secreto en mi interior porque mi mamá estaba furiosa conmigo y ni siquiera me atrevía a hablarle. Pero meses más tarde en el embarazo le mencioné el nombre, ella buscó en el Internet su significado y con un sincero sarcasmo me dijo: "Hija, Penélope Sofía significa lo que tú necesitas". -- ¿Qué?, pregunté yo, inocentemente.

– Paciencia y sabiduría.- Respondió mi madre.

En ese momento recordé esa pequeña oración que hice el día antes de saber que estaba embarazada, cuando le pedí a Dios que me diera lo que yo necesitaba y el Señor me dio a Penélope Sofía.

- Mamá, ¿quieres que te traiga un té o algo de comer? Abuela está en su trabajo, pero ya yo adelanté mi tarea y te puedo atender.

-No, mi beba, yo quiero que te dejes querer. Quiero ver la TV contigo, que me cuentes qué has hecho, y qué te gustaría hacer. ¿Te gustaría ir conmigo a comprar una tabla de paddle board? - pregunté.

- Mamá, ¿paddle board? ¿Tú sabes hacer eso? - preguntó sorprendida.

- Sí, hija, este fin de semana en Aruba aprendí.

-Entonces, vamos. Quiero también una tabla y que me expliques cómo lo hiciste sin saber nadar.

Ese pedacito de carne tan pequeño, ¿cómo puede estar tan lleno de inteligencia y de sabiduría? Ella es un retrato vivo de su abuelo: inteligente, con carácter, protectora, esos ojos verdes, su estatura, su rostro... Tiene el cabello oscuro como mi mamá, pero en lo demás es un retrato de "Daddy". PitaSofía sonríe y dos pequeños agujeros se asoman en esos ricos cachetitos que delatan que sigue siendo una niñita.

- Bueno, hija, ve a cambiarte y nos vamos - le dije.

Mientras le esperaba contemplaba sus juguetes, sus muñecas, su bicicleta rosada que ya no usa. Ha pasado el tiempo tan rápido. Crece a velocidades impensables, y pronto elevará su vuelo. Han pasado tan rápido estos años. ¿Será que me he perdido de verla?

Nos fuimos a un centro comercial cercano y en el camino intenté indagar sobre cómo estaba mi hija en su vida. Sus respuestas eran cortas, pero estaba muy interesada en conocer cómo fueron mis días.

Entramos en una tienda gigantesca que desde afuera se veían exhibidas las tablas para hacer paddle board. Le pregunté, intrigada: - Hija, ¿de verdad te gustaría que te comprara una?, puede ser nuestro nuevo pasatiempo juntas...

- Bueno, mamá, suena bien, pero veamos los precios, no me parece que sea algo económico. – respondió un poco preocupada.

- Ay, tranquila, chica, "I got this"[6] – respondí muy segura, sin tener la menor idea de lo que estaba diciendo.

- Hola, estoy mirando las tablas para hacer paddle board, ¿me ayudas? – pregunté a un empleado.

- Por supuesto, ¿qué estás buscando? ¿"all around", "cruisers", "for race" o para "surfing with paddle"?[7] – me respondió el empleado dejando al descubierto mi desconocimiento.

- Bueno, yo estoy comenzando, me gustaría una ancha para no caerme. – respondí, esperando que mostrara un poco de piedad ante esta novata que trataba de impresionar a su hija de 10 años.

- En ese caso te recomiendo una de estas. Son grandes, un poco pesadas, pero te dará mucha estabilidad. Y hoy está en oferta. Tiene un 25% de descuento por lo cual si te la llevas hoy, solo te costará $1,250 dólares.

- ¿Cómo? – Mis ojos se abrieron tanto como mi boca. Él sonrió como quien está acostumbrado a bajar de la nube a los novatos como yo.

– Sí, es un poco difícil conseguir un mejor precio en una tabla como esta. Pero tengo unas más económicas – y me llevó confiado de que me estaba dando la súper oferta.

---

[6] "Lo tengo".

[7] Apelativos de los diferentes tipos de paddle boards.

- Estas comienzan en $799 y aunque son más pequeñas, son un tremendo precio para comenzar. A ese punto ya la vergüenza se me salía por los poros. Este muchacho no sabe que vivo con mi mamá y mi hija porque no hay manera de que pueda pagar sola un apartamento; que mi auto fue un regalo y que no tengo ni la mitad de la mitad de lo que él está pidiendo.

- Está bien, gracias, no te molestes, tendré que esperar un poco para comprar una. - Respondí lo más sofisticada que pude y comencé a caminar con mi hija de la mano como para que no hiciera más preguntas. Ambas comenzamos a reírnos. No era la primera vez que íbamos a una tienda y salíamos despavoridas al ver los precios.

- Bueno, entonces fuiste a la playa - mi hija interrumpió el vergonzoso momento para hacerme sentir distraída. Siempre cuidando de mí, ¡qué niña la mía!

- Sí, mi chiquita, fui a la playa y pasé un gran tiempo en Aruba. Y tú, ¿qué hiciste estos días? Ignorando por completo mi pregunta, respondió con más intrigantes preguntas.

- ¿Conociste gente nueva? ¿Algo que contar? - insistió.

- Sí, mi amor, conocí gente muy linda, pero ya te contaré de eso, cuéntame de ti. - repliqué.

- Mami, fuiste a la playa por tres días sola, dices que conociste gente nueva, quiero saber más... - a este punto ya sonaba demasiado interesada.

-Óigame, niña, pero yo te estoy preguntando sobre ti y tú insistes en regresarme las preguntas. ¿Qué quieres saber? ¿Qué pasa? - repliqué ya un poco alterada.

Penélope Sofía no es de las que se da por vencida muy pronto, pero esta vez era demasiado incisiva en saber. Yo sé que el tema del mar siempre es para ella un asunto de cuidado. Unos segundos de silencio después de mi confrontación y levantó su rostro con lágrimas en sus ojos.

- Ay, mi niña, perdóname, no te he visto en días y fui una pesada, perdóname. - He enseñado a mi hija que los adultos nos equivocamos y debemos ser vulnerables. Creo en pedirle perdón cuando la hiera y cuando me equivoco, pero esta vez, ese no era el caso.

- Mami - respondió con una mirada de desaprobación que no había visto antes. - Yo no quiero que te enamores más. - Estábamos en la salida de la tienda que da al centro comercial y sus palabras sonaron como un altoparlante a mis sorprendidos oídos. Ella, no bien terminó de decir las dolorosas palabras que parecieron haberla cortado en su interior al dejarlas salir, tanto como me cortaron a mí en el alma al escucharlas, se desvaneció en llanto sobre mí. Caminé abrazándola hasta una banqueta cercana. Sentía el calor de su cuerpecito sobre mí, sus lágrimas mojaban mi camisa y se rompía mi corazón con cada una.

¿Qué hay dentro de su corazón guardado que estoy a punto de descubrir?

- Hija, ¿tú no quieres que mamá sea feliz? - hice la pregunta más tonta de mi vida. Las palabras habían salido de mi boca sin saber el daño que causarían.

- ¿Tú no puedes ser feliz si no hay un hombre en tu vida? ¿No eres feliz con abuela y conmigo? ¿Tú no me amas, mami, es eso, tú no me amas? - su voz se había elevado como nunca antes, su rostro estaba rojo, sus lágrimas eran reales, su dolor era profundo. Nunca había visto a mi niña llorar y reclamar de esta manera.

- Perdón, perdón, perdón, mi niña... Perdona a mamá, claro que te amo, soy feliz contigo y con la abuela. - No sabía qué decir... Me sentía tan avergonzada.

Nos sentamos en ese banco en silencio por minutos que parecieron eternos. Ella lloró en mis brazos, y yo solo la abrazaba y le acariciaba su tierna cabellera mientras pensaba... "Cuánto daño le he hecho a mi hija. En diez años no he parado de buscar el amor de una pareja y la he lastimado sin quererlo".

- Quiero que me hables, Penélope Sofía, quiero saber qué sientes, qué temes, qué te preocupa...

- Mami, yo veo a mis amigas y me duele.

- ¿Qué te duele, mi niña? ¿Ver que ellas tienen a papá en casa?

- Pues antes sí, antes me dolía eso. Veía a mis amigas con sus papitos y me sentía celosa. Pero me encariñé tanto con José, mami, yo lo amo tanto. Yo quería que él fuera mi papá de verdad, yo no sé por qué se fue. ¿Fue culpa mía?

- No, hija... - y me interrumpió de súbito para continuar...

- Y luego vino Manuel, y a pesar de que él era tan gritón y a veces era malo conmigo pensaba que se iba a quedar. Y se fue. Ya yo no quiero que venga nadie más. Mami, yo te veo hablar con hombres, como te miran, te veo coquetear, me da vergüenza. Me da vergüenza tener tantos "papás". Mamita, al final, todos se irán. A mi papá ni siquiera lo conozco. Ni sé cómo es. Yo quiero que seamos solo nosotras tres. Ya ni me duele no tener papá. Lo que me duele es que siento que tampoco tengo mamá. -

Nuevamente se derritió en llanto y cada lágrima era una puñalada a mi corazón. ¿Qué he estado haciendo? ¿Siente vergüenza? ¿Cómo he marcado a mi hija de esta manera? ¡Qué dolor tan profundo en mi corazón! Sentí desfallecer al sonar de sus palabras. ¡Cuánta razón! Permanecí en silencio y solo lograba decir: "Perdón".

Salimos abrazadas de aquel centro comercial. En silencio. Era la sensación de derrota que más me había afectado en mi vida. Fallé como mamá. Abandoné a mi hija en vida. Jamás me visualicé en esta situación. Yo creía que estaba buscándole un hogar. En esa búsqueda no me percaté de que destruí el que tenía con ella.

"La mujer sabia edifica su casa,
mas la necia con sus manos la destruye".

Proverbios 14:1 (RVR 1960)

- Hija, tú hoy le has dado a tu mamá la lección más importante de su vida. De este momento en adelante mi rol más importante será ser mamá. He estado distraída con la vida que deseaba tener, y no he sabido valorar la que tengo. Pero te prometo algo: eso va a cambiar. Yo soy joven, sí, tal vez no tan madura como tú... - reímos juntas.

- Pero puedo aprender a ser mamá tan rápido como aprendí a hacer paddle board. - le dije sonreída...

-Bueno, en ese caso, tengo que irte a evaluar - reímos a carcajadas. Creo que el ejemplo de la tabla aun no le da mucha confianza.

- Mamá, yo sé cómo se hace paddle board.

-¿De verdad?, ¿Cómo así?

-Mi amiga Natalia va con sus papás a cada rato. Tú los conociste en el cumpleaños de Jonathan el brasilero.

- Pues siendo así, hagamos un grupo y vamos todos - dije.

- Lo importante, mami, es que nunca te quites el "leash",[8] no sé si te lo explicaron. Pero por más confiada que te sientas, eso es lo que te mantiene conectada. Por el "leash" se puede salvar una vida. - me dijo muy segura.

-La sabiduría está con quienes oyen consejos, eso lo dice Proverbios 13:10, mamá. Ah, y otra cosa: ya, por favor, no te vuelvas a enamorar.

El "leash" te mantiene conectada a la tabla, así como la oración te mantiene conectada a Dios.

Su voz, otra vez. Te necesito, Dios.

¡Qué noche tan pesada, tengo mucho en qué pensar...!

[8] Correa de seguridad adherida al paddle board.

CAPÍTULO

Él me llevó a la orilla

"Vosotros pensasteis mal contra mí, mas Dios lo encaminó a bien, para hacer lo que vemos hoy, para mantener en vida a mucho pueblo".
(Génesis 50:20)

Ha pasado una semana desde que llegué de mis vacaciones y me siento triste. ¿Qué pasó con el ánimo con el que llegué? No he podido parar de pensar en la conversación con mi hija. ¡Qué gran sorpresa esta niña me ha dado! ¡Cuánto significó para ella José! Fue el primer hombre que ella conoció en nuestras vidas. Ella tenía apenas dos añitos cuando él apareció. Confieso que había conocido a varios, es una realidad que permanecer sola ha sido un reto para mí. Pero nunca pensé que le afectaba.

Yo tenía 20 años, quería realmente darle un padre responsable a mi hija. José era apuesto, alto y caballeroso. Tenía este hermoso acento paisa que me derrite. Parecía perfecto. Solo le faltaba el caballo para ser un príncipe. Se acercó a mí en un evento social y mis ojos se iluminaron de emoción. Hermosos ojos verdes que me miran... pensé. No lo dudé. Dije en mi interior: "Acabo de conocer al amor de mi vida". Sin conocerlo bien, ya quería pasar el resto de mi vida con ese guapo joven.

Comenzamos a compartir, a pasar tiempo juntos y cada momento a su lado parecía un sueño. Era dulce, gentil, caballeroso, de un temperamento muy dócil y siempre sonriente. Y para colmo, parecía amar a mi hija. Desde la primera vez que se vieron hubo una conexión entre ellos. Ella hasta se parecía a él. "Me pegué en la lotería", dije. Tengo que reconocer que fue una bendición haberlo conocido, porque el dolor de lo que sucedió más tarde fue lo que me hizo llegar a los pies de Cristo. Pero fue un terrible dolor perderlo. Un dolor como quizás ninguno. La melancolía está tocando a mi puerta y no la quiero dejar entrar. Mi jefa me ha dado el día libre y lo voy a aprovechar. Buscaré un lugar donde practicar paddle board.

Voy a conocer este hermoso río en donde un pequeño grupo que descubrí por Internet saldrá a practicar paddle board y tendrán tablas para alquiler. Éramos 4 personas y dos de ellos eran expertos. No había viento ni grandes retos. Era de verdad un paseo sobre el agua. Un día perfecto. Pero un recuerdo seguía viniendo a mi mente como si intentara torturarme el pasado. José. ¿Cómo no lo vi venir? Mi mamá lo aprobó desde el día uno. Mi hija lo amó desde que lo vio entrar. Todos pensábamos que él era el correcto. El cariño de José hacia Penélope Sofía me hizo imaginar que tendríamos la familia más feliz del mundo. Cada noche nos visitaba y cantábamos juntos, dormíamos a la niña juntos, salíamos a los parques juntos. Nos convertimos en una familia en solo 6 meses de relación. Pero una noche, aquella noche... Vino a visitarnos con un rostro algo diferente. Mi mamá se había llevado a la niña a dar un paseo al centro comercial. José lucía preocupado.

– Necesitamos hablar.- me dijo. – Quiero que conversemos sobre nuestra relación y nuestro futuro.

No lo dudé, dije para mí: "Está nervioso porque ¡va a pedirme matrimonio!" Sentí mariposas revoloteando en mi estómago como nunca. Me sentía tan afortunada. Nunca había conocido a una persona tan especial, tan dulce y consentidora con mi hija. Nunca habíamos tenido una pelea, todo era maravilloso entre nosotros, así que no podía esperar a escucharlo.

- Pamela, tú llegaste a mi vida para llenarla de alegría y de color, tú y Penélope Sofía me llenan de gozo, nunca me había sentido tan amado y tan bien recibido como me siento cada vez que llego a visitarlas. Quiero que sepas que te quiero mucho y que amo con todo mi corazón a la niña. La veo como a una hija propia y me siento tan orgulloso cuando la sujeto de la mano en el parque; pienso que hasta se parece a mí.- Mientras él hablaba, mi corazón palpitaba fuertemente, las manos me sudaban y mis lágrimas salían sin poderlo evitar. Tan solo me imaginaba el día de nuestra boda. Yo soñaba con ese momento y estaba segura de que tenía una sortija guardada en su bolsillo para pedirme matrimonio. Ese era el día tan esperado. Así que continuó diciendo:

– Cariño, por esta razón, yo no quiero continuar saliendo contigo sin que definamos nuestra relación. Es importante para mí que tú sepas que yo siempre he deseado casarme por la iglesia y tener un matrimonio tradicional como Dios manda. Y aunque actualmente no asisto a ninguna iglesia en particular, sí me gustaría ir a misa los domingos en familia y hacer de eso una tradición. Pero por esa misma razón, tengo un dilema. Y quiero que me disculpes porque en estos 6 meses saliendo nunca te he presentado a mi familia y quiero que sepas las razones.

-Yo no podría llegar a mi casa y decirle a mi familia que estoy saliendo con una madre soltera; ellos no lo aceptarían. Mi familia es bien tradicional y nunca hemos tenido a alguien con un hijo fuera del matrimonio. Y queremos mantenerlo de esa manera. Por tal razón, Pamela, nosotros podemos continuar saliendo y tener la relación como está ahora, pero yo no quiero que tengas expectativas de que vamos a tener juntos un futuro, porque eso no es lo que está dentro del plan que yo tengo para mi vida. –

Fin de su discurso y fin de mi corazón. Literal, Pamela se murió. Intentar describir el quebranto que sentí es imposible con palabras. Las mariposas en mi estómago se convirtieron en escorpiones que me estaban comiendo de adentro hacia afuera. Yo sentí desmayar. No estaba preparada para esas palabras. Nunca pasó por mi mente escucharlas. Me faltó el aire, la respiración, sentí que me ahogué. El llanto era tan profundo que sentía vergüenza, me sentía como una niña desnuda en la escuela. Si me arrancaba los cabellos de la cabeza no me dolería tanto. Yo no pude pronunciar palabras. Ambos estábamos en silencio; solo el llanto hablaba. Él con su mano me consolaba, pero con sus palabras me había destruido. Y no se iba, lloraba conmigo, inmóvil.

De la mano de Dios ***llegarás*** *a la orilla sin notarlo, y lo harás descansado.*

Recordar esa oscura noche me debilitó terriblemente. Le pedí al entrenador parar por unos minutos. Estábamos cercanos a la orilla, así que algunos aprovecharon para hacer piruetas en el agua. Yo solo me senté sobre la tabla. Mi piernas dentro del agua bajaban el calor que estaba sintiendo en mi interior. Con mis ojos cerrados sobre mi tabla recordaba aquel gran dolor.

Esa noche sentía un bombardeo de pensamientos llegando a mi cabeza como misiles. Me sentía atormentada. Escuchaba insultos y ofensas sin parar: "Atrevida, ¿qué pensaste?" - "Mujer mundana y sucia" - "No eres digna de él, no mereces tanto" - "No vales nada y nadie te va a querer" - "Tu pasado te perseguirá, eres una porquería de mujer y no mereces relacionarte con personas decentes" - "Mereces ser golpeada, escupida y abandonada". En ese momento el enemigo había mandado a un ejército de "bullying"[9] espirituales a gritarme insultos. Y desde ese momento en adelante mi imagen propia se quebrantó junto con mi corazón. Hoy sobre esta tabla miro hacia atrás y siento compasión. Yo permanecía con mis ojos cerrados y no me había percatado de que mi tabla se había estado moviendo. Mis pies alcanzaron a tocar la arena y al tacto me sobresalté. Mi tabla se acercó a la orilla sin yo quererlo. Fue tan pasivo, tan sutil, como Jesús llegó a mi vida. De la mano de Dios llegarás a la orilla sin notarlo, y lo harás descansado.

Mi corazón estaba destruido. No sabía cómo sobreponerme a eso. Quería morir.

Mi mamá me invitó a una iglesia que ella había estado visitando. Al llegar, una dulce señora se me acercó y me dijo: "Eres una mujer de valor que merece tener esperanza. Una mujer virtuosa, deseada y digna. Mereces ser tratada como a vaso más frágil, eres más valiosa que las piedras preciosas. Tu pasado no te define. Jesús pagó el precio de tu pecado. Fuiste creada para ser coheredera, ayuda idónea, corona de honra a tu esposo. Fuerza y honor son tu vestidura. Niña linda, ríete de lo por venir. Te llaman bienaventurada".

---

[9] Acoso.

La voluntad de Dios siempre te llevará a un lugar seguro. A un lugar donde podrás pisar tierra firme.

Debo confesar que no creí ninguna de sus palabras. Su nombre era Lisa. Ella era una pastora asociada de la iglesia y psicóloga profesional. Pero ella no me conocía y no sabíamos en ese momento que además de ser mi consejera, sería una de mis más grandes amigas. Me vio ese día por primera vez al llegar a la iglesia y dijo que Dios le habló y le dio esas palabras para mí.

– Es el poema a la mujer virtuosa, Proverbios 31. Esa eres tú, recíbelo - dijo ella. Cada una de las palabras que ella pronunció eran lo opuesto a como yo me sentía. – Esa no soy yo, señora, usted se equivocó, o se equivocó Dios - respondí con profunda tristeza.

Ha sido un largo camino. Pero así fue como Dios me trajo a la orilla. La voluntad de Dios siempre te llevará a un lugar seguro. A un lugar donde podrás pisar tierra firme.

Aquella oscura noche sentí que había escuchado el juicio final sobre mi vida y con lágrimas en mis ojos y dolor en mi alma, acepté el juicio y la penalidad. Me quedé en aquella relación propuesta por él. Sin futuro, sin títulos, pero con sus "ventajas".

Fueron meses dañinos a mi amor propio. El daño a mi autoestima estaba siendo tan grande que comenzaba a sentirme como una prostituta. Caminaba junto a él sintiendo vergüenza de acompañarle. Él me hacía un favor al dejarme caminar a su lado. No había puesto límites a nuestra relación y me di completamente como mujer.

En medio del quebranto, nuestros corazones *se sensibilizan y le damos espacio a Dios.*

Pensaba que se iba a enamorar de tal forma de mí que iba a olvidar toda aquella conversación, me pediría perdón y me llevaría al altar. Me daría el lugar que yo anhelaba tener, aunque creía que no lo merecía. Pero eso nunca pasó. Continué intentando seducirlo a cambiar de opinión y no tuve éxito en mis intentos. Una noche fuimos a cenar juntos y nos encontramos a unos amigos suyos. Eso iba a ser para mí una muestra de si mis esfuerzos estaban rindiendo frutos. ¿Cómo me presentaría? Me preguntaba.

- ¿Qué hacen aquí? - preguntó a sus amigos. La situación era incómoda y él extendió el saludo evitando tener que hacer la presentación oficial, hasta que fue evidente y ellos preguntaron por mí. Su respuesta fue casi tan graciosa como vergonzosa.

- Pues ella es Pamela... Eh..., una compañerita, sí, mi amiguita, digo amiga, como mi mejor amiga. - dijo tartamudeando.

Yo casi me atrevo a añadir con sarcasmo, - como una hermana- . Pero hacerlo reventaría la burbuja de dolor acumulado que estaba tratando de controlar, y no quería llorar frente a todos. Sus amigos se dieron cuenta de la rara situación, pero ya nada era importante. Ese breve momento solo terminó de aniquilar mis ilusiones vanas. Esa misma noche decidí tratar de salvar lo que me quedaba. Si algo de dignidad quedaba debía marcharme y di por terminada la relación. Ya no podía seguir resistiendo tanta humillación. Estaba tan lastimada que mi amor se convirtió en un gran dolor. Deseaba que mi resolución y determinación provocaran que me buscara intensamente hasta que yo pudiera perdonarlo. Pero fue en vano. No pasó.

A pesar del dolor, debo reconocer que en medio del quebranto cuando nuestros corazones se sensibilizan, le damos espacio a Dios. No había manera de hacerlo si no me agarraba del Señor. Aquel primer día en la iglesia todos se dieron cuenta de cuán quebrantada yo estaba, pero ellos no sabían la razón. Así como Lisa, todos me mostraron su amor. Así comencé domingo a domingo a ir aquel lugar como un refugio. Constantemente le clamaba al Señor que arreglara esa relación, que me lo diera como esposo.

Traté hasta de manipularlo con la niña para que tocara su corazón. Pero no pasó. Inclusive llegué a decirle a Dios que si él arreglaba mi situación con José entonces yo le iba a dar mi vida, pero mientras Él no lo arreglara, yo solo iba a visitar la iglesia, pero yo no iba entregarle mi corazón.

- Si tú me entregas lo que yo quiero, yo te entrego lo que tú quieres. - esa era mi "negociación" con Dios. Cuán incorrecta e ignorante era mi oración. Pero Dios me trajo a la orilla. Me acercó a su corazón y ahora me toca sanar a mi hija, que fue víctima de toda esa situación.

mi tabla de Salvación

blog

A veces no sabemos a dónde la vida nos lleva; a dónde Dios nos quiere llevar. Pensamos que las cosas van a ser de cierta manera y te llevas una gran sorpresa. Me hace pensar... Cuando José (el de la Biblia) fue tirado en la cisterna, él no pensó sobrevivir a eso. Seguramente pensó que sería el final. Su vida, aun cuando sobrevivió, no fue fácil después de esa experiencia. Y en cada una de esas pruebas pudo ser el final. Pero Dios lo llevó a un lugar seguro. Lo colocó en una posición de jerarquía y fue de bendición a sus hermanos, los mismos que un día lo quisieron matar.

Vivir el desprecio de una pareja puede dejarte en un pozo de desesperación. No sabes a dónde vas y pones en duda tu real valor. Pero Dios no te califica en base a tu pasado, ni a tu estatus social o a tus relaciones. Yo descubrí que Él me ama. Que si estoy perdida y clamo a Él, Él me responderá; que en situaciones de peligro siempre me llevará a lugar seguro. Que me ama por quien Él es y no por quien yo soy. Que con Él puedo caminar confiada porque Él ha prometido amarme hasta el fin del mundo y si Él lo dice, Él lo hará. Si hoy estás parada en el medio de la vida, cierra tus ojos, suéltalo todo y confía en Cristo, que llevará tu tabla a la orilla y te hará descansar. No tienes que ser perfecta para ser su novia. Si no te avergüenzas de Él delante de los hombres, Él no se avergonzará de ti delante de su Padre.

Si este mensaje toca tu vida, compártelo en tus redes sociales bajo el #mitabladesalvacion - ¿Me regalas un Like?

Si persigues mi voz,
avanzarás hacia **destino** seguro.

Una *tabla* usada

"Mas él herido fue por nuestras rebeliones, molido por nuestros pecados; el castigo de nuestra paz fue sobre él, y por su llaga fuimos nosotros curados". (Isaías 53:5)

Tengo una alegría en mi corazón que no puedo contener. Hoy llegan Sandra y Luis a vivir en Miami. Ellos me prometieron venir a mi casa tan pronto lleguen y mi mamá se ha esforzado en prepararles una rica cena.

El corazón de mi madre es realmente maravilloso. Este mes después de haber llegado de Aruba ha sido un tiempo hermoso de reconocer el valor que mi familia tiene. He disfrutado tanto con mi hija en lo que ella ha llamado "Little Night Talks".[10] He podido ver también la gran mujer que tengo en mi mamá.

Llegamos a este país cuando yo tenía apenas 7 años y ella era una joven viuda de 28 años, exactamente mi edad actual. Recuerdo ese viento frío que sopló en mi rostro al salir del aeropuerto. Era una fría Navidad. Desde ese momento comencé a extrañar. Todo parecía gigante y extraño. Venía de un pequeño pueblo costero en donde todos se conocían. Pero con apenas siete años sabía muy bien que mi trabajo era cuidar de mi mamá. Daddy siempre me encargaba cuidarla y velarla cuando él no estaba. Eso quedó para mí como un encargo permanente. Ahora veo que mi hija parece hacer lo mismo por mí.

Siempre traté de hacer que mi mamá se sintiera segura y protegida. Mi mamá no hablaba inglés; yo hablaba un poco porque había aprendido con mi papá. Así que a mi corta edad comencé a ser la traductora de ella, trabajo que hasta el día de hoy conservo. Ella había estudiado peluquería cuando vivíamos en Puerto Rico, pero ejercía desde la casa hasta que llegamos acá. Cuando llegamos a Miami nos estábamos quedando con una pariente lejana de mi papá. Dormíamos en la misma cama, así que cada noche practicábamos las preguntas y respuestas para salir al siguiente día a buscar un trabajo.

---

[10] "Pequeñas conversaciones nocturnas".

Era como un juego. Cada noche yo jugaba a ser dueña de un salón de belleza interesada en contratar a mi mamá. La acompañaba a sus citas por si ella necesitaba traducción, pero también porque ella no tenía con quién dejarme cuidando. Fue la Navidad más fría que yo pueda recordar. Creo haber visitado más de 30 salones de belleza que parecían cientos a mi corta edad. Mi presencia parecía incomodarles un poco. Algunos le preguntaban con sarcasmo si el trabajo era para ella o para mí. Otros le recomendaban pedir trabajo en un centro de cuido; otros ni siquiera le atendían. Yo sentía tanto vergüenza como tristeza por ella, pero tengo que reconocer que también tenía esperanza de que al irnos tan mal regresaríamos a Puerto Rico.

Caminando por la Calle Ocho paramos para almorzar algo y continuar con nuestras citas. Pero en ese lugar conocimos a este extraño señor. Él era varón, sin embargo, actuaba como una dama. Mi mamá me dijo que no lo mirara. Eso era imposible. Él me miraba y me hacía gracias, y yo no paraba de reírme. Era el personaje más simpático que había conocido desde mis días ahí. Era muy tentador escuchar sus ocurrencias; hablaba con un gracioso acento a mis oídos. Era un dominicano simpatiquísimo. Le llamaban Coco y era la fiesta de aquel lugar.

Si juzgas a las personas sin conocerlas, puedes limitar las **bendiciones** *adjuntas que Dios traía.*

Mi mamá resistía conversar con él porque ella había sido criada en un ambiente muy tradicional católico y mi abuelo tenía prohibido que se acercara a cualquier persona con una descripción como esa. Pero Coco se ganó mi corazón. Yo quería escucharlo toda la tarde. Él se acercó a nosotras, inició la conversación y quiso conocernos. Yo le hice fácil la tarea, mi mamá no tanto.

– Mi mamá es la mejor peluquera del mundo – le dije. – Estamos buscando trabajo y una casita, y hasta un perro.

Elige ser un bálsamo que cubre,
en lugar de vara que golpea.

Ese era mi plan y yo le contaba a Coco entusiasmada. Ella me pidió que me callara, pero fue interrumpida por la oferta de trabajo de Coco. Resulta que él era propietario de un salón de belleza y justo al lado del cafetín en donde estábamos. Él le dijo que si lo quería, el trabajo era de ella, por las referencias mías. El rostro de mi mamá cambió. Creo que se dio cuenta de que si juzgaba a las personas sin conocerlas podía limitar las bendiciones que Dios tenía para su vida.

A través de Coco pudimos descubrir que el amor de Dios se manifiesta de diferentes maneras y a través de diferentes personas; que cada uno de nosotros tenemos una vida de pecado y que nos toca a nosotros con nuestro amor ser un bálsamo en lugar de una vara que golpea.

Coco estuvo cinco años en nuestra vida. La enfermedad tocó a su puerta y muy pronto fue a acompañar a mi Daddy a un nuevo lugar. Pero los años que Dios le permitió estar con nosotras fueron de gran bendición. Coco fue la persona que nos proveyó nuestro primer apartamento. Él retiraba $200 dólares del salario de mi mamá para el pago de aquel pequeño apartamento en donde vivimos nuestros primeros 5 años acá. Era un pequeño lugar de 350 pies cuadrados. Mi mamá y yo compartíamos la cama, el gavetero, lo que se veía en televisión... todo. Era nuestra hermosa mansión en miniatura.

Cuando Coco partió de este mundo, nos regaló su humilde casa y la puso a nombre de ambas. Nos regaló su coche, y dejó los papeles del negocio a nombre de mi mamá. Nadie antes nos había bendecido tanto. Mi papá nunca pensó en la muerte como una posibilidad y no tuvimos herencia de su parte. Sin embargo, este desconocido llamado Coco nos lo heredó todo.

Ahora pienso en él y me maravillo de la bondad de Dios. Coco fue abusado de niño y rechazado por su familia por sus evidentes manerismos. Muy temprano descubrió que ese abuso dejó en él una enfermedad que le conduciría a la muerte. La incertidumbre, la soledad y la confusión eran una lucha constante. Hacía frente a su dolor con su sentido del humor y alegría contagiosa. Batallaba contra sí mismo y sus sentimientos, y se dedicó a dar amor a todos, como hubiese deseado recibirlo. Fue incapaz de continuar propagando la destructiva enfermedad, por lo que permaneció siempre solo. Se dedicó a hacer reír cada uno de sus días. Se dedicó a darlo todo.

Esa noche en una cama de hospital, mi mamá y yo sosteníamos las manos de Coco. Un hombre alto, pasivo, sonriente se acercó y nos preguntó si podía orar por nuestro amigo. Coco abrió sus ojos sorpresivamente como quien ve un rayo de esperanza en una noche muy oscura, y respondió:

- Por favor, Pastor, hágalo.- Yo nunca había escuchado la palabra "pastor". No sabía a lo que se refería. No asistíamos regularmente a ninguna iglesia, pero en ocasiones especiales íbamos a misa.

Lo que sucedió en ese momento fue de gran impacto a mi vida. El pastor le preguntó a Coco si quería hacer confesión de fe. Coco respondió que sí y comenzó a llorar como nunca antes. Las lágrimas corrían sobre mis mejillas. Yo tenía 12 años y estaba presenciando uno de los momentos más significativos de mi vida. No dudé en sacar mi cuaderno, con el que siempre cargaba, y comenzar a documentar lo que pasaba. Coco le pedía a Dios que, por favor, perdonara sus pecados, y gritaba: "Señor, yo te amo, Señor, yo te amo".

Yo escribí en mi libreta las palabras que el pastor le decía, las cuales Coco repetía.

- Escribe mi nombre en el libro de la vida - le escuchaba decir. ¿Qué libro será ese?, recuerdo que me preguntaba. El rostro de Coco se transformó ante nuestros ojos. Una paz que no había conocido antes nos sobrecogió a todos. Coco se nos fue aquella noche, pero ¡nos dejó tanto!

He aprendido que cada ser humano tiene una historia. Coco creció en un hogar cristiano y fue marcado por la violencia. La gente solo veía a un hombre que murió de una enfermedad que lleva en sí su juicio. Ya no solo lo juzgaban a él, pero a nosotras por andar con él. Ese hombre lo único que hizo fue cuidar de nosotras como un familiar muy cercano. Él se volvió familia. Se hizo por decisión mi tío. Él no solo nos heredó su humilde, pero cálida casa, su negocio y su auto. Nos heredó su amor al prójimo y su positivismo.

Pero también dejó algo en nosotras que no habíamos conocido antes. Él nos dejó la fe de saber que había algo más. Que Dios era perdonador. Que existía un Señor y Salvador de nuestras vidas y un libro en el que podíamos, si queríamos, estar inscritas. Ese ser, ese Dios, era capaz de inundar de paz un salón completo, y era capaz de restaurar la mirada perdida de un moribundo.

El sonido de la puerta anunciaba la esperada llegada de mis amigos Sandra y Luis.

-¡Qué alegría volver a verlos! Conozcan a mi mamá, Noemí, y a mi hija, Penélope Sofía-, les dije con gran gozo en mi voz como si les conociera de toda una vida. Ellos vinieron acompañados de su hermano Raúl, su esposa Laura y su sobrina Catalina. La niña tenía apenas 2 años más que mi PitaSofía.

Pronto comenzamos a compartir mientras mi mamá servía la comida. Algo hermoso pasa en este país cuando te encuentras con hermanos que llegan de diferentes países hispanos; automáticamente somos todos hermanos. Nuestra lengua nos une de una manera tal que hace que toda diferencia desaparezca. Hablamos diferente, pero nos entendemos. Sin pensarlo nos damos la mano y un abrazo.

Nuestro Padre sabe lo que tú necesitas, antes de que se lo pidas.

Esa noche fue especial. Mi mamá estaba tan feliz. Era como haberse encontrado con viejos amigos o con unos hermanos. Fue una noche en familia que comenzó una temporada mágica en nuestras vidas.

- Pamela, ven con nosotros al auto. Vengan todos. - dijo Luis con especial entusiasmo.

Fuimos todos hasta el auto, que cargaba en la parte posterior un carretón blanco. Al abrir las puertas el lugar cargaba no solo las maletas que traían de su viaje para su nueva estadía permanente, pero había varias tablas.

Luis entró cuidadosamente al carretón y tomando una de las tablas en sus brazos salió diciendo:

-Hija, esta tabla es un humilde obsequio para ti. Es una tabla usada, un poco maltratada, o digamos que con mucha experiencia sobre el mar. Es como tú, color rosada y alegre. Tiene algunas rasgaduras que en nada afectan su calidad. Quiero que la disfrutes y que la uses para entrenar.

Aun con marcas y con heridas,
he de continuar y de caminar sobre el mar.

Mis ojos estaban llenos de emoción e incredulidad. Cubría mi boca con mis manos ante mi asombro. Mi hija corrió a abrazarme y dijo palabras tan sabias y atinadas... -¿Ves, mami? Nuestro Padre sabe lo que tú necesitas, antes que se lo pidas.

Cada una de las marcas sobre la tabla era un recordatorio del precio que Jesús pagó por mí en la cruz del calvario. También simbolizaban mi vida, mis golpes, mis tropiezos, mi caminar. Pero aun con marcas, esa tabla rendía sus servicios.

Aun con marcas y con heridas, he de continuar y de caminar sobre el mar.

Consejo de mamá:

descansa sobre la tabla

"Todo soltero debe darse al menos
un año de intimar con Jesús
antes de comenzar a conocer a otra persona."

Elsa Pilardo

*"Hijo mío, escucha las correcciones de tu padre y
no abandones las enseñanzas de tu madre.
Adornarán tu cabeza como una diadema;
adornarán tu cuello como un collar."*
(Proverbios 1:8-9, NVI)

Es sábado tempranito en la mañana y vamos a pasar un día familiar y a estrenar mi tabla. Mi mamá y mi hija van conmigo. Hoy el salón de belleza pasó a segundo plano, Noemí se irá conmigo a conquistar el mar. Siempre he llamado a mi mamá por su nombre, Noemí. Desde que tengo uso de razón así ha sido. Recuerdo a mi papá llamarle y yo repetía todo lo que él decía. Ella siempre ha sido serena, ese consejo oportuno y esa ayuda idónea; lo fue para mi papá y lo es para mí hoy día. Siempre sabe cuál es el norte a seguir, a pesar de que necesita un poco de compañía para iniciar el camino. Es más valiente de lo que ella cree y más fuerte de lo que todos se imaginan. Pero su fortaleza tiene una cobertura de dulzura que encanta a todos los que la conocen.

Date la oportunidad de **abrazar**
tu maternidad y tu identidad.

Salimos temprano a la playa para tomar un buen "spot". Sandra, Luis y su familia estarán allá con su negocio de renta de tablas. Es una playa muy linda, a 30 minutos de nuestro hogar. Yo tengo una camioneta azul, del color del mar. Me la regaló mi ex esposo en algún punto de nuestro fallido matrimonio. Es lo único que conservo de él y a ser honesta, me encanta. En la parte de atrás tengo el espacio propicio para colocar mi nueva tabla y es ideal para este nuevo pasatiempo.

Al llegar a la playa nos ubicamos cerca del puesto de alquiler de equipo deportivo marítimo que tiene Raúl, el hermano de Luis, "Walk on Water".

- No esperemos mucho, vamos a lanzarnos al agua todas las mujeres - grité entusiasmada. Catalina y mi Penélope Sofía estaban felices de que usarían juntas una tabla. Yo iba feliz para estrenar la mía. - No tan rápido, chamacas - dijo Luis con su simpático acento. Quiero hacer una oración por todos antes de que comencemos la aventura. Todos nos detuvimos. Olvidé que Luis es un hombre de gran fe y no se mueve si no ora.

"Padre, presentamos este día ante ti. Te damos gracias por mi hermano Raúl y su familia, que nos han bendecido dejándonos trabajar con ellos en su negocio. Declaramos tiempos de cosecha. Padre, te pedimos por cada una de las personas que hoy estarán en el agua disfrutando de un hermoso día, que tú las cuides, pero sobre todo, que tú te muestras. Que cada cosa que hagan sobre la tabla, o aun descansando frente al mar, sea una experiencia de aprendizaje profundo. Te lo pido en el nombre de tu hijo amado Jesús, amén."

Todas dijimos amén.

- Luis, ¿esa es siempre la oración que haces antes de comenzar tu día de trabajo en la renta de las tablas? - pregunté intrigada...

- Sí, hija, cada día oro porque Dios se le revele a las personas que me rentan las tablas.

-Ahora lo entiendo todo. Cuando te renté la tabla en Aruba por primera vez tuve un hermoso encuentro con Dios. Él habló a mi corazón en cada cosa que sucedió ese día sobre el agua. - comenté.

El día era perfecto, un sol radiante se comenzaba a asomar como un rayo de esperanza a una nueva temporada que estaba por comenzar.

- Noemí, ¿qué haces buscando lugar donde sentarte? Ven con nosotros al agua. - Desde que mi papá murió, ella es muy cautelosa con el mar y no le culpo. Pero para mi gran sorpresa, me dijo: - Voy contigo, pero necesitas dejarme un lado contigo en tu tabla, yo no voy sola al mar.

Casi me caigo de la sorpresa, pero creo que dentro de ese corazón prudente debe haber una gran valentía. Al final del día, si estamos en este país fue gracias a ella. Ciertamente Dios nos ha sostenido, pero mi mamá ha sido una mujer muy esforzada.

No ayudes a Dios.

Entramos abrazadas al agua, mientras gentilmente Raúl nos traía nuestra tabla. Los años han ido pasando, pero no le han cobrado factura a mi madre. El año entrante ella cumplirá 50 y luce tan guapa como siempre. Ella ha sido una roca para mí; puso su vida en pausa por cuidarnos. Nunca vi a mi mamá poner sus ojos en otro hombre. En múltiples ocasiones le he recomendado hacerlo, pero no me ha hecho caso. Aunque siendo muy honesta, no creo estar preparada para ver a mi mamá amando a otra persona que no sea mi Daddy. Pero, no se trata de mí, ni de él, sino de que ella sea feliz. Creo que ella tiene ese don de abstinencia; ella es esa mujer virtuosa, centrada y esa mujer fuerte. Ella es ese consejo oportuno en momentos de necesidad.

Usa este tiempo para volverte la mujer ideal para que cuando ese hombre llegue, te encuentre en plenitud y no en necesidad.

Dios me ha rodeado de mujeres sabias. Tanto mi hija como mi mamá han sido posicionadas por Dios en mi vida con un propósito. Quiero algún día tener las virtudes que ella posee. He vivido mi vida como aquel pequeño conejo detrás de la zanahoria. Escuchar que mi hija siente vergüenza, verdaderamente me ha hecho reflexionar mucho. La felicidad se me escapa y ya no sé qué rumbo tomar, qué debo intentar, cuál es la nueva estrategia en la que me debo enfocar.

-Bueno, hija, vamos a usar esta tabla como se debe. Para descansar.

-¿Para qué? Te has vuelto loca, Noemí, vamos a practicar, anímate.

-No. Pondré mis brazos sobre la tabla, me apoyaré en ella y estiraré mis piernas en el mar para sentir sus caricias.

Tú haz lo mismo del lado de allá. Solía hacer esto con tu papá. - Dijo las palabras mágicas.

- ¿Hiciste esto con mi papá? Nunca me habías contado.

- Hay muchas cosas que he decidido no recordar a menudo. Es parte de poder sanar. Pero hay algo en mi corazón que te quiero compartir.

- Oh, oh, cuando me das esa instrucción vienes con una bomba. – Estaba realmente intrigada.

- Yo sé que te tomaste esos días en Aruba el mes pasado para pensar en lo que sucedió con Manuel y buscar un nuevo norte. Yo quiero invitarte a que ese nuevo norte no sea un hombre.

-Ay, Noemí, ¿estás como Penélope Sofía? ¿Ya vamos a empezar?

- Yo te invito a darte el tiempo de conocer a Jesús. Yo te invito a darte la oportunidad de abrazar tu soltería, tu maternidad y tu identidad, Pamela. Yo quiero invitarte a que tomes este tiempo para volverte la mujer ideal para que cuando ese hombre llegue te encuentre en plenitud y no en necesidad. Deja que esa persona sea traída por Dios a tu vida, y date la oportunidad de crecer para que tú puedas estar lista para recibirlo.

Todo soltero debe darse al menos un año de intimar con Jesús antes de **comenzar** *a conocer a otra persona.*

-Pero, y ¿cómo va a pasar eso? No me digas que me va a tocar a la puerta de la casa.

-No lo sé, pero eso hoy no importa. Lo que importa es que tú estés sana, lista. Date un año sin mirar a nadie. Haz ese reto. El pastor dice que todo soltero debe darse al menos un año de intimar con Jesús antes de comenzar a conocer a otra persona.

-¿Un año, Noemí? Voy a tener casi 30. ¿Tú quieres que me quede solterona?

-Yo quiero que dejes la prisa, porque la prisa te llevó a tres relaciones rotas, muchas ilusiones pasajeras, a ser una mujer quebrantada y tener una hija confundida.

-Avergonzada, dirás.

-Son las consecuencias. Tú decides. Hay tiempo para todo en la vida... Eclesiastés 3 - Todo tiene su tiempo en esta vida. Date un año sin mirar a nadie. No ayudes a Dios.

Te has pasado la vida buscando a ese hombre ideal, y no has dedicado un céntimo de tu tiempo a convertirte en esa ***mujer virtuosa*** *que merece ese hombre ideal.*

Yo estaba atónita escuchando las palabras de mi mamá. No era la primera vez que las recibía, pero sí era la primera vez que mis oídos las escuchaban audiblemente. Eran ciertamente las palabras que resonaban en mi corazón todo el día de parte de Dios. Era Dios mismo utilizando a mi mamá con infinita sabiduría para decirme aquello que yo necesitaba escuchar. Ese consejo sabio en el momento oportuno. Mi mamá continuó diciendo...

-Te has pasado la vida buscando a ese hombre ideal y no has dedicado un céntimo de tu tiempo a convertirte en esa mujer virtuosa que merece ese hombre ideal. Y no estoy diciendo con eso que no seas una gran mujer. Justo porque sé que te mereces a un hombre maravilloso en tu vida es por lo cual te invito a detenerte. Haz una pausa al ritmo de tu vida. Dedícate a enamorarte de Jesús. Dedícate a conquistar el amor de Dios. Dedícate a perfeccionar la virtud que Dios ha puesto en ti. Dedícate a conocerte, a conocer los propósitos de Dios para tu vida. Una vez que te alcances a ti misma, estarás a la altura para alcanzar aquello para lo cual has sido creada. Antes no. Si continúas en esta carrera de búsqueda, vas a continuar fallando.

-Noemí... - Intenté persuadirla a parar, pero fue imposible.

- Tus ojos no están listos para discernir a la persona correcta. Y cuando no estás sana, no está sano tu carácter y no puedes ser moldeada para lidiar con situaciones difíciles. Sin identidad no estarás cimentada en Cristo para soportar las batallas y para apreciar las victorias en el matrimonio. Espera a estar lista y vas a ver la diferencia, y recordarás esta conversación. Hay tiempo para las aventuras en el mar y hay tiempo para detenerse un poco y meditar sobre la tabla. Date un año. Escucha el consejo de tu madre.

Cuando mi mamá terminó solo pude saltar sobre la tabla intentando abrazarla como aquella niña pequeña de 5 años que había perdido a su papá y necesitaba inmensamente a su mamá. Esta niña que perdió su norte y que aquí estaba frente a una realidad que necesitaba ser dicha y ser escuchada. Recibí el consejo de mi madre sabiendo que venía de un corazón puro y recto, y que tenía la única intención de protegerme de mí misma. Y le dije que sí. Esperaré, me daré ese año que ella dice.

Hay tiempo para las **aventuras** *en el mar,*
y hay tiempo para detenerse un poco
y meditar sobre la tabla.

Descansa

"Pudo haberme descartado, pero me eligió."

"Y la vasija de barro que él hacía se echó a perder en su mano; y volvió y la hizo otra vasija, según le pareció mejor hacerla". (Jeremías 18:4)

Mi vida ha ido dando un giro inesperado. Ahora paso mucho tiempo con mi mamá y mi hija, y ha sido una temporada hermosa. Tengo una nueva familia en Luis y

Sandra, que más que ser mis entrenadores en paddle board, son mis amigos y más que amigos, se han vuelto unos padres espirituales. Catalina, la sobrina de Luis y Sandra y mi hija se la pasan juntas y eso ha sido maravilloso y Lisa... Lisa llegó a mi vida como un ángel de Dios. Dios la puso en mi camino porque de qué otra manera podría yo conocer a esta particular mujer argentina llena de dones. Ella tiene un contagioso gozo en esos 4 pies con 8 pulgadas que no le hacen justicia a su grandeza interior.

Nadie puede detener a una mujer que aun con lágrimas en sus ojos, **camina**.

Lisa es psicóloga clínica y decidí comenzar terapia con ella cuando los problemas en mi pasado matrimonio comenzaron a arrastrarme a una depresión. Ella me habló por primera vez sobre el trastorno de personalidad narcisista, y me hizo entender el ciclo de maltrato emocional en que estaba. Pero más que nada, Lisa se volvió mi amiga, mi hermana mayor. Esa que siempre deseé tener.

La conocí en mi primera visita a la iglesia cuando terminé mi relación con José y ella intentó, como tantos otros, evitar que me casara con Manuel. Pero, no le hice caso. ¡Con ella he aprendido tanto! Ella tiene una frase que la distingue y que la he hecho mía: "Nadie puede detener a una mujer que aun con lágrimas en sus ojos, camina". Esa frase me llena de fuerzas y determinación. Fue ella la que me recomendó irme a Aruba unos días a reflexionar después de mi divorcio, y hemos hablado tanto de mis experiencias en el paddle board que la quise invitar.

-Amiga, voy saliendo de mi casa, pasaré por ti primero y de ahí recogemos a Sandra y a Luis. ¿Te parece?

- Listo, amiga, yo ya terminé de arreglarme. No más pasá por mí y nos vamos de una vez a la aventura. - Su acento argentino siempre me parece tan festivo, pareciera que habla en colores.

Sandra y Luis eligieron un hermoso río de aguas muy templadas, espectacular. Puedes ver cada hoja, cada pez... Espero que solo eso, y no un caimán. Acá en la Florida nunca sabes.

-Hijas, esta será una experiencia de gran reflexión. Dense el tiempo de reflexionar sobre sus vidas, así como el agua permite ver sobre ella el reflejo de ustedes. Esta será una experiencia calmada, sin luchas contra el viento, sin oleaje y con gran paz porque no hay viento. – Al terminar de hablar, Luis se puso de rodillas sobre su tabla, Sandra le acompañó y nosotras, por supuesto, también. Otras 3 personas que estaba conociendo en ese momento nos acompañaban en el tour.

Luis hizo su acostumbrada oración y se pusieron en pie. Yo me había puesto de rodillas al igual que ellos, pero no pude terminar al tiempo que ellos lo hicieron. La verdad es que no sé si ellos partieron rápido, o si yo me extendí en mi oración. La experiencia que tuve ese día no me permitió continuar.

Estaba yo sobre mis rodillas en la tabla, así como los demás. Mi tabla estaba sobre la grama, no la habíamos aun lanzado al agua. Coloqué mi cabeza entre mis rodillas para hacer la corta oración y quise pedirle a Dios que me diera una experiencia particular en ese día. Una paz comenzó a inundarme terriblemente. Era una sensación sin igual. No quería que se detuviera. Prontamente comencé a sentir un peso sobre mis espaldas que se hacía tan real que era imposible ignorarlo. Era sólido, pero refrescante y estimulante como el mejor de los masajes. No quería parar aquella experiencia. La mejor manera en que lo puedo describir es como una presencia. Pero pensar que pudiese estar experimentando la presencia de Dios me provocaba un llanto que gritaba desde mi interior "no lo merezco".

*Dios va a hacer presión,
no es una presión que destruye,
sino que crea.*

Lágrimas calientes salían desde lo más profundo de mi corazón salían sin parar mientras pensaba: ¿Por qué a mí? ¿Por qué yo? No lo podía describir, yo sabía que no merecía estar viviendo una experiencia así. Pero hubo algo más, algo más intenso aun pasó. De verdad pasó. Tuve la sensación de que alguien hubiese oprimido algún botón y de pronto todo empezó a dar vueltas. Y no me refiero al mundo exterior, era yo. Bueno, no sabía si en lo físico me estaba moviendo o no. Pero tenía la certeza de que estaba dando vueltas en un mismo lugar. Es la mejor forma en la que lo puedo explicar. Era una experiencia sobrenatural que no había experimentado antes. Quería que parara, pero a la vez deseaba que continuara. Mientras estaba en esa experiencia me preguntaba dónde estarían los demás. No sé cuánto tiempo estuve ahí, el suficiente para quedar exhausta. Al abrir mis ojos me di cuenta de que estaba en el mismo lugar. Nunca me moví. ¿Qué sucedió?

Al incorporarme, escuché la voz de Lisa decirme:

-¿Y vos que estabas pensando, amiga, se te olvidó nuestro maratón? - ella siempre con su sentido del humor.

-Ay, Lisa, me acaba de pasar algo tan raro. No sé ni cómo explicar. - Comencé a intentar explicarlo en palabras, pero las sensaciones requieren tanto vocabulario o saber dibujar. Quisiera hacerte un video de lo que viví.

Lisa me interrumpe mientras me mira como si ya hubiese ocupado mi lugar.

- Peso de Gloria, amiga, vos has experimentado el peso de Gloria de Jehová.

-¿Cómo así? - pregunté intrigada.

-Es eso amiga, no le busqués más. Dios te permitió experimentar su Gloria desde este lugar.

- Lisa, ¿por qué yo? ¿Por qué a mí? ¿Cómo Él me permite a mí sentir esta experiencia? Yo no merezco nada. Solo he cometido errores. No soy una fiel servidora suya, soy una pecadora y soy tan infiel que a la primera tentación salgo huyendo por una nueva aventura.

- Así es Dios.

Comencé a explicarle lo del botón, cómo me sentí dando vueltas en círculos. Quería saber si de verdad me estaba moviendo o no. Ella dice que no me moví ni un céntimo. Pero sentía moverme en mi interior.

-Amiga, vos estabas en la rueda del alfarero. ¿Sabés lo que significá eso? La rueda del alfarero. Dios ha comenzado su obra en ti. Para nada te movías afuera. Estabas quietecita acá afuera, pero por dentro Dios está haciendo algo grande. Grande amiga, es grande.

Mis lágrimas rodaban por mis mejillas y una mezcla de vulnerabilidad con gratitud dominaba mi ser.

-Yo no me fui, porque sentí que me necesitabas acá. Sabía que algo pasaba, pero por supuesto no iba yo a imaginar. Sus manos comenzaron a moldear el barro con intensidad, pero con suavidad y delicadeza. Está construyendo una gran vasija, hermana, esa eres tú –, me dijo con emoción. A este punto las dos llorábamos.

- Ay, Lisa, ahora no sé si la loca soy yo o eres tú. – Reímos a carcajadas. Un gozo incesante nos hacía reír de cualquier bobada.

-Es el toque del Espíritu, Pamelita. El Espíritu Santo toca.

Es tiempo de volverte la mujer que deseas ser y dejar atrás la niña en pedazos.

Lisa estaba casada con un altísimo hombre guatemalteco, abogado y profesor universitario. Llegaron muy jóvenes a este país y se enamoraron en la universidad. Llevaban muchos años juntos y recientemente habían adoptado a un niño ecuatoriano. Eran esa pareja que todos quieren lograr ser. Afines, profesionales, exitosos, creyentes, fieles. Habían caminado en pureza antes de casarse y modelaban a otros con su testimonio y su historia de amor. Lisa era de pequeña estatura, pero gran sabiduría, y tenía una carcajada tan fuerte que se hacía contagiosa. Es de esas personas que tiene un perspicaz comentario para cada cosa que sucede.

Eres una mujer imperfecta amada por un Dios perfecto.

-Pamela... - Cuando ella comienza con mi nombre una oración, es que me va a decir algo fuerte, algo que debo escuchar... - Dios te está llamando a un tiempo de descansar. El alfarero inmoviliza con sus manos la pieza para poderla trabajar. Él va a hacer presión. No es una presión que destruye, sino que crea. Este es tu tiempo de permanecer quieta y recuperarte. Es más, es tiempo de conocerte a ti misma, y de disfrutar lo que Dios está creando en ti. Es tiempo de conocer a tu creador profundamente. Es tiempo de volverte la mujer que deseas ser y dejar atrás la niña en pedazos. Ya Él tomó el barro, le puso agua y comenzó a formarlo. Ya Él prendió el torno. Este es tiempo de ser reconstruida. Estás en la mesa del alfarero. Solo Él puede enderezar tus pasos. Yo te puedo aconsejar, te puedo analizar y darte recomendaciones, pero no te puedo cambiar. Solo Dios transforma. Eres una mujer imperfecta amada por un Dios perfecto. Solo es eso.

Pudo haberme descartado,
pero me eligió.

Lisa comenzó a describir la rueda del alfarero con detalles. Ella me explicaba cómo el alfarero toma el barro que ha sido despreciado y dado por nada, y decide colocar agua fresca. Luego con sus manos comienza a moldearlo y una vez le ha dado un poco de forma, lo coloca sobre el torno y en esa rueda comienza a masajear esa vasija. El alfarero le da la altura, la anchura y la profundidad que Él determina, según para lo que Él quiera usar esa vasija luego. El barro se deja moldear por el alfarero porque Él es el artista que sabe cómo crear arte de la tierra. Dios, cual alfarero, aquella mañana me había mostrado que Él había decidido tomarme a mí, que era barro sucio e inservible, depositar un poco de agua y comenzar a moldearme.

El alfarero había prendido su rueda para trabajar en mí. Significaba tanto para mí saber que Él me encontraba capaz de ser moldeada, que Él pensaba de mí que yo podía ser una vasija con altura, con anchura y con profundidad como para recibir su depósito. Que yo podía ser usada. Que yo podía ser una pieza importante en su colección. Pudo haberme descartado, pero me eligió.

Yo sabía que había estado en la rueda del alfarero y algo en mí había cambiado. Tenía mucho que reflexionar, tenía mucho que escribir esta noche y no había tiempo que perder. Era necesario escribir esta gran enseñanza.

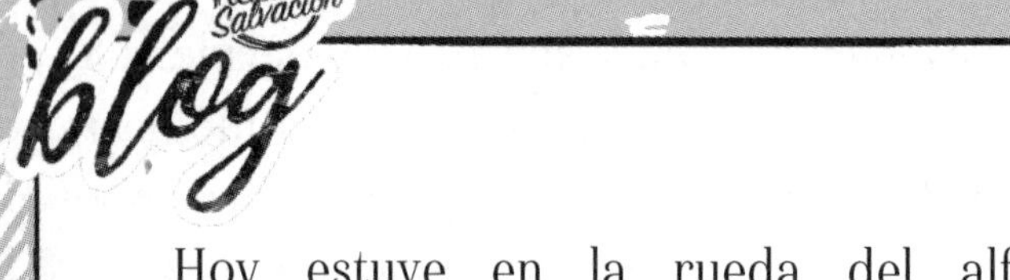

Hoy estuve en la rueda del alfarero y comprendí que:

- Soy valiosa para Dios aunque el mundo me haya desechado.
- Puedo ser transformada; pasar de ser barro a vasija.
- El alfarero puede darme altura. Esa dignidad que he perdido la puedo recuperar. Esa virtud que siento nunca haber tenido, solo Él me la puede ofrecer.
- El alfarero puede darme la anchura. Puedo expandirme a nuevas posibilidades que nunca pensé. Dios determinará cuánto espacio he de cubrir, a dónde podré llegar, cuál será la extensión del propósito de mi vida, hasta dónde me extenderé.

- El alfarero me está dando profundidad. Para poder entender las grandezas de su nombre, Él me está haciendo profunda. Para poder conectar mi espíritu con el suyo, Él está entrando su mano dentro de mí y creando un espacio de profundidad para que su espíritu habite.
- Entendí que aunque no lo merezco, Él me ha hecho digna. Que aunque no tengo valor, Él me ha llamado capaz. Que aunque no he hecho nada para merecerlo, Él me ha elegido.

Si esta enseñanza ha tocado tu corazón, compártela en tus redes sociales bajo el #mitabladesalvacion

El *perdón*

-en el canal de los cocodrilos

"Perdono a la que fui, acepto a la que soy
y recibo a la que seré."

Elsa Pilardo

*"Porque si perdonáis a los hombres sus ofensas,
os perdonará también a vosotros
vuestro Padre celestial"*. (Mateo 6:14)

Sábado en la mañana, lista para un gran día para ir con mis amigos a una nueva aventura en paddle board. El destino, los canales de Venecia en Winter Park. Un lugar con paisajes que parecen salidos de una postal, el agua es cristalina, los frondosos árboles centenarios están por todas partes y las flores en los jardines de las tradicionales casas victorianas son dignos de apreciar. Casi cuatro horas para llegar hasta el lugar, pero vale la pena el viaje.

Arribamos llenos de expectación al parque que bordea el lago.

-Pamela, Lisa, quiero que sepan que este recorrido que haremos hoy nos llevará a través de hermosos canales cubiertos de exuberante belleza que no han visto nunca antes. Luego saldremos a un área muy amplia que parece una hermosa playa caribeña... Pero no se confundan, es un lago. – nos dijo Luis.

-¿Cómo conoces tanto de la Florida, Luis? – pregunté curiosa.

-Pasé una larga temporada en Orlando hace unos años tratando de obtener mi residencia. En ese momento no fue posible lograrlo, no era el tiempo. Me regresé a mi tierra, Venezuela, y como los tiempos de Dios son perfectos, se dio ahora la oportunidad de regresar gracias a la ayuda de mi hermano Raúl.

Oramos en la orilla y salimos los cuatro, cada uno en una tabla. Hacía varios meses que no salíamos a practicar paddle board porque su negocio estaba ocupándoles mucho tiempo. Ya estábamos entrando en octubre y las temperaturas dejan de ser tan atractivas para muchas personas ir a la playa. Así que Sandra y Luis tienen más tiempo para estas aventuras en el agua.

El viento no nos favorecía, luchábamos para avanzar y Luis nos llevaba una ventaja significativa. Pronto comenzamos a ver que un estrecho camino nos aguardaba a nuestra izquierda para darnos descanso. Era uno de los canales de los cuales habíamos escuchado. Casas a ambos lados protegían el hermoso canal y majestuosos árboles cubiertos de flores le daban una exquisita sombra que parecía abrazarnos. Remando en nuestras tablas en estos estrechos canales podíamos disfrutar de los patios traseros de las casas con una colorida variedad de flores. Luis interrumpió mi postal de otoño con una información que en nada me trajo paz.

- Pamela, aléjate de las orillas del canal porque ahí es donde se esconden los caimanes. - ¿Caimanes? ¿Estás bromeando, Luis?

-No, chama, para nada. Cualquier lugar en la Florida en donde hay agua puede tener caimanes y cocodrilos. Y los canales son famosos por ser un lugar en donde ellos se esconden.

-Gracias por la información, Luis, me lo debiste haber dicho en Miami. Mira que no vine a morir en Winter Park. - Reímos con mi sarcasmo.

-Pamela, mejor hacéte la tarada y no preguntés más. Ya no quiero saber nada. No quiero tener información; ya que estoy metida en este problema. Mirá que hoy sí te cobraré la consulta, querida. - Añadió Lisa con su comiquísimo acento argentino que se agudiza cuando está nerviosa.

Su comentario obviamente nos aterrorizó, pero tratamos con humor el reto.

Continuamos remando ahora sí enfocadas en ir mirando el centro y velando las esquinas. Había 3 pies de distancia entre el centro y cada esquina del estrecho. Era mejor atravesar los románticos canales a toda velocidad.

Mientras continuábamos avanzando, Lisa hizo un comentario lleno de sabiduría.

-Pamelita, así mismo es la vida. Tenemos que mantenernos en el centro, manteniéndonos en balance y alejadas de los extremos.

- Tienes toda la razón, doctora - respondió Luis. -Cuando llevamos una vida desordenada y cuando nos vamos a los extremos, nos exponemos y ponemos nuestra vida en riesgo.

- Cometemos errores, cierto, Luis. - respondió Lisa.
- Ciertísimo, doctora, las personas que viven al borde, no saben con qué clase de caimanes se pueden enfrentar.

Toda esta conversación me hizo reflexionar. Esa era yo hasta hace apenas unos meses. Toda mi vida viviendo al borde, en los extremos, siempre cercana al peligro, siempre con algún caimán acechando. Pero ya no más. Ahora quiero una vida segura, una vida dign a, quiero una vida centrada. Verdaderamente anhelo que mi hija se sienta orgullosa de mí. Que mi mamá pueda descansar y ser feliz. Quiero que Dios me encuentre lista para Él.

El dolor nubla nuestra mirada y caemos en riesgo de tomar erróneas salidas.

Pero de pronto, ante mis maravillados ojos, aquel pequeño canal llegó a su final, una hermosa vista amplia como de un océano se abría paso ante nuestros ojos. Era un gran círculo gigante, como una bahía. Realmente parecía un océano. La vista amplia y cristalina me producía una paz y me hablaba de un futuro. De una esperanza, de una salida. De un potencial inesperado que superaba todas mis expectativas.

-¿Qué es este hermoso lugar? - exclamé espontánea.

Comencé a reflexionar en cómo en ocasiones pasamos por temporadas tan difíciles, tan estrechas, tan peligrosas, tan dañinas y tan sufridas que creemos que va a ser así permanentemente. El dolor nubla nuestra mirada y caemos en riesgo de tomar salidas erróneas. Solo la gracia de Dios puede mantenernos al centro. Y de pronto, cuando menos lo pensamos, entramos a una nueva temporada, un amplio espacio. Esa es la temporada en la que sé que voy a entrar. Isaías 43:19 vino a mi mente: *"He aquí que yo hago cosa nueva; pronto saldrá a luz; ¿no la conoceréis? Otra vez abriré camino en el desierto, y ríos en la soledad."*

-Vamos a acercarnos al centro, al corazón de este lago, y sentémonos sobre nuestras tablas. Vamos a disfrutar la hermosura de la creación de Dios. - dijo Luis.

La amplitud que apreciaban mis ojos representaban las posibilidades de mi futuro. Nunca había mirado a mi futuro con posibilidades mayores ni con fe. Meditaba sobre la posibilidad de que las circunstancias podían ser mejores para mí, pero lágrimas corrían por mis mejillas ante ese pensamiento. Lisa se me acercó en su tabla, sujetó con su remo mi tabla para hacerme mirar hacia ella, y mirándome con una dulzura palpable, pero una intensidad penetrable, me preguntó: - ¿Por qué lloras, hermana?

-No lo sé. Quiero creer en un futuro, pero me cuesta. Me cuesta creer. - contesté.

-Pamela, mírame, ¿tú perdonaste a tu padre?

¿Qué ella acababa de decir? La miré incrédula. ¿Perdonar a mi padre? Busqué una respuesta rápida en mi cabeza, una respuesta lógica para tan absurda pregunta. Pero mi corazón en un microsegundo se comprimió como una pequeña pasa. Como una esponjita seca me volví nada. Comencé a llorar con el dolor más profundo que pude llegar a sentir. Salían gritos de dolor. Sandra y Luis me miraban con ternura, y yo sé que intercedieron en oración.

Algo se rompió. Gritaba de dolor. Sabiendo que nadie más me oía, lo dejé salir: -¿Por qué me dejaste, Daddy? ¿Por qué me abandonaste? ¿Por qué no te quedaste aquí? ¡Conmigo! ¡Con mamá! - Sentía brazos sobre mis espaldas intentando consolarme. Sentía un frío horrible en mi cuerpo, pero un calor intenso por dentro. Nunca sentí algo igual. Nunca pensé que esos sentimientos estuviesen dentro de mí. Nunca fui consciente de ellos hasta hoy. La pared de contención que detenía esas aguas de dolor se rompió. La conciencia comenzó a llegar a mí mientras me calmaba.

Reflexioné, toda mi vida sentí que él me abandonó, me dejó sola obligándome a crecer muy rápido. Yo sé que fue un accidente, pero vivía en un mundo de confusión. No quería reconocer cuánto le necesitaba y cometí tantos errores tratando de llenar ese espacio, ese vacío. Todo parecía una necedad de mi parte; por eso nunca acepté esos sentimientos. Pero era el grito interno de una niña que en ocasiones fantaseó que quizás él andaba en algún país del mundo disfrutando mientras nosotros lo extrañábamos. Que quizás nunca murió, que quizás simplemente nos abandonó y no tuvo el coraje de decirnos.

Hoy recuerdo que en ocasiones cuando lloraba, me secaba las lágrimas con coraje porque lo imaginaba vivo y en otro lugar que no era conmigo. Y sin importar si ese lugar era el cielo o los brazos de otra familia, me daba rabia saber que él estaba en otro lugar y que no era aquí.

-Has abierto un baúl al cual nunca te habías permitido el acceso. No pares ahí, Pamela. Hay más por salir -, me abordó Lisa.

Ella comenzó a enumerar a cada una de las personas a las cuales yo tenía que perdonar. Y comencé a declarar:

Perdono a Alberto por haberse aprovechado de mi inocencia, por haber traicionado mi amor y por haber roto mi pureza. Reconozco que yo le di entrada, pero acepto que fui víctima de una persona que se aprovechó de mi tierna edad y cometió un acto ilegal. Lo perdono por abandonar a su hija, a mi hija, por nunca haberse hecho cargo de mantenerla, por ni siquiera venir a conocerla. Lo perdono por su infamia y lo dejo ir.

Perdono a José por rechazarme, por haberme visto como menos que él. Lo perdono por no elegirme, por hacerme sentir marcada. Lo perdono porque aún su gentileza y caballerosidad me lastimaron. Por sus pensamientos que me causaron dolor, lo perdono. Lo perdono por haber elegido a otra que él consideraba mejor que yo. Lo perdono y lo dejo ir.

Perdono a Manuel por haberme herido tanto con sus palabras, por haber sido tan duro, por haber quebrantado en mí la ilusión de un matrimonio. Lo perdono por sus mentiras, por su narcisismo, lo perdono por haberme prometido ser un hombre de familia, un proveedor y un protector. Lo perdono por no haber sabido ser un buen padrastro para mi hija. Lo perdono porque destrozó mi corazón con cada una de sus duras palabras y su intimidación. Lo perdono por el abuso emocional. Lo perdono y lo dejo ir.

Pero la lista continuaba. Dios traía a mi mente personas que no pensé que debía perdonar.

Perdono a mi mamá por no haber sido más líder, más fuerte, más independiente. La perdono porque sé que hizo lo mejor que pudo y ha sido una gran madre para mí.

Pensé que había terminado cuando Lisa me dijo: - Falta el perdón más importante, faltan dos de hecho. ¿Crees que tienes que perdonar a Dios? - ¡Qué difícil pregunta! Reconozco a Dios como creador de todo, sin embargo, te confieso, Lisa, que en ocasiones muy en mi interior reclamé... Dios, ¿porque no te conocí antes?, ¿por qué no me rescataste en mi niñez?, ¿por qué no rescataste a mi padre?, ¿por qué no me protegiste de Alberto?, ¿por qué no me anticipaste de José?, ¿por qué no evitaste aquella boda? Pero la realidad es que cada una de esas fueron decisiones humanas, algunas de ellas mías. No creo que tenga derecho de perdonar a Dios. No merece Dios que yo ni siquiera lo piense.

- Muy bien, replicó ella, pero te queda alguien - yo la miré extrañada y me dijo. - Este es quizás el más difícil de los perdones, pero tienes que hacerlo para ser libre. ¿Eres capaz de perdonarte a ti misma?- La miré espantada, pensando, ¿de qué me estás hablando? Pero un dolor en mi alma confirmó que este es el perdón que más necesitaba decir.

- Tienes razón, Lisa, ese es el más difícil de todos. ¿Cómo me puedo perdonar? Me pasé toda la vida secretamente odiando a mi Daddy por haberse ido. Utilicé toda mi energía para tener el control en mi casa y que se hiciera lo que yo quería. Utilicé mi influencia para que mi mamá me dejara hacer lo que yo quisiera. Aún la llamaba Noemí para hacerle ver que no tenía que someterme a su autoridad. Fui rebelde disfrazada de líder. Fui voluntariosa, pero me vestía de una persona con una gran iniciativa.

Yo busqué a Alberto cuando él ni siquiera me miraba, yo le hacía ojitos cuando él trataba de dejarme pasar, yo lo provoqué. Yo fui tras José sabiendo que debía enfocarme en ser madre joven. Le entregué mi corazón a destiempo y no me di ningún valor. Le di el corazón de mi hija, sin derecho. Me di tan barata. Luego salí con cara de víctima a consolarme en los brazos de un hombre lleno de machismo y narcisismo. Yo busqué mi castigo. Me metí a la boca del lobo.

Mi mamá me advirtió muchas veces: "No te cases con él". Lo que me pasó yo lo busqué. He sido tan necia, no me puedo perdonar. Lloré por varios minutos. Lisa solo observaba. En silencio me acompañaba y pasaba su mano por mi espalda. Ellos tres se acercaron a mi tabla, me rodearon y colocaron sobre mí sus brazos. Habían creado un lazo humano y me arrullaban. Fue un momento tan especial, escuchaba sus voces a una susurrando una melodía de cuna. Me sentía tan especial, tan amada.

Perdono a la que fui, acepto a la que soy y recibo a la que seré.

Una explosión de amor comenzó a brotar desde mi interior. Comenzó por una breve conciencia de cuán grande es la misericordia de Dios. Pude verme con el amor y la ternura que Él me veía. Pude perdonarme y sentía empatía sobre mí misma. Me vi como Él me veía; ya no era más esa niña. Pude verme desde otra perspectiva. En mi confusión cometí muchos errores, pero mi corazón simplemente buscaba el amor de un padre. Pude entender que simplemente la vida es dura y no siempre sabemos cómo actuar en determinadas situaciones.

Perdono a la que fui, acepto a la que soy y recibo a la que seré.

Entendí que este es un nuevo comienzo, un nuevo capítulo y una nueva oportunidad para mí. Me perdono porque no sabía lo que hacía. Y ahora que sé y que he descubierto lo que Dios está haciendo en mí, me perdono y me doy la oportunidad de empezar de nuevo. Hoy comienza una nueva vida para Pamela.

Este día aprendí...

- ✓ Que debemos mantenernos en Él y alejarnos de los extremos peligrosos que nos acercan horribles peligros.
- ✓ Que no importa cuán feo o estrecho sea el camino que estás atravesando ahora, siempre podrás salir a un espacio amplio y consolador.
- ✓ Que cuando decidimos perdonar es cuando nos abrimos a la libertad del agua cristalina. Que perdonar a los demás es tan importante como perdonarnos a nosotros mismos.
- ✓ Que si caíste en la boca del caimán no fue tan solo porque él quiso, sino porque tú te acercaste demasiado.

✓ Que puedes volver a empezar, siempre hay un nuevo propósito, un nuevo camino y una nueva oportunidad para ti, si eres capaz de dejar el pasado atrás y disfrutar tu presente.

Hoy perdono a la que fui, acepto a la que soy y recibo a la que seré.

Si esta enseñanza te ha tocado a ti, por favor, compártela en tus redes sociales bajo el #mitabladesalvacion

CAPÍTULO 14

Caminando con Jesús me enamoré

"Descubrí que esperaré;
porque no necesito nada si lo tengo a Él,
pero lo perdería todo si Él no está."

Elsa Villardo

Mi amado habló, y me dijo: Levántate, oh amiga mía, hermosa mía, y ven. Porque he aquí ha pasado el invierno, Se ha mudado, la lluvia se fue; Se han mostrado las flores en la tierra, El tiempo de la canción ha venido, Y en nuestro país se ha oído la voz de la tórtola. La higuera ha echado sus higos, Y las vides en cierne dieron olor; Levántate, oh amiga mía, hermosa mía, y ven. (Cantares 2:10-13)

Me levanté de madrugada con una dulce voz a mis oídos que me decía:

- Levántate, hermosa mía - Salté de la cama a la voz de mi Amado. Sabía que era Jesús. Una sensación de ir corriendo a mi amado me sobrecogió. Necesitaba salir de mi habitación, quería recibirlo, darle toda mi atención. Me senté en el suelo de la sala de nuestro humilde hogar. Teníamos un sofá blanco, viejo, pero muy fiel, tenía casi 20 años con nosotras. Había resistido los accidentes de Penélope, los cariños del perro de Coco mientras vivió, y uno que otro café derramado. Los cojines y la alfombra de color azul turquesa como el Mar Caribe formaban esa pequeña habitación a la cual Jesús me visitaba con su amor. Crucé mis piernas frente a mí, me abracé a mi almohada, confiada en que comenzaríamos una hermosa conversación. Mi Amado y yo.

Un éxtasis de amor comenzó a fluir de mi interior. Un amor puro, sagrado, un tierno amor. Este amor me hace derramar lágrimas de gozo y eleva en mí una canción: Enamórame de ti, Señor...

-No sé cómo hacerlo sin ti. Dependo de ti. Te necesito. En mis fuerzas soy débil. En mis decisiones soy necia. En mi sabiduría me quedo corta. Es mi necesidad escucharte. Guíame. No me dejes sola, Jesús.

Un éxtasis de **amor** *a fluir de mi interior.*
Enamórame de ti, Señor.

El tiempo pasó rápido, como cuando uno está enamorado. Risas, llanto, canciones, palabras, lectura, escritura... Es una aventura cada día con mi amado Jesús.

-Señor, quiero que hoy sea mi día especial. Ha pasado la Navidad, se acerca el Día de los Enamorados y estoy lista para una cita de amor. Ya casi es primavera y mi cumpleaños se acerca. Quiero que sea hoy mi cumpleaños.

-Yo te invito –. Esa fue su contestación.

Las lágrimas salen de mis ojos al escuchar su tierna voz. No hay nada que me conmueva tanto como su respirar en mí, su dulce voz, voz de Jesús. He iniciado una relación con Dios que no tiene comparación. Nunca la imaginé. Cada mañana en su presencia es una nueva aventura; es ciertamente una relación de amor.

-Vamos, hija, prepárate para una cita con tu Creador. - Esas fueron las palabras que Dios habló a mi corazón. No lo pensé dos veces, no pedí confirmación. Salté sobre mi camioneta y conduje sin un destino determinado, pero en dirección hacia Fort Lauderdale, el este.

-Hoy vamos a hacer paddle board –. Esas fueron las palabras que yo sentí que Dios habló a mi corazón.

-Pero, Señor, no traje mi tabla hoy.

-No importa, renta una. - Fue su contestación.

Logré divisar en una avenida muy frecuentada llamada Las Olas Boulevard, una pequeña camioneta "vintage" en donde rentaban tablas. Estacioné mi pickup azul y un joven que no alcanzaba los 20 años, pelo largo rubio como el sol, me atendió con mucha dulzura. Él estaba solo atendiendo la estación, por lo cual esta vez me tocó cargar con la tabla hasta mi lugar de comienzo. No era cerca en lo absoluto, y estas tablas son pesadas. Él dijo que era media milla, yo creo que mintió y era una milla entera con sabor a tres.

No quiero atribuirme tanto crédito, pero confieso que mientras caminaba con aquella tabla me sentía como Jesús cargando su cruz. Tuve que hacer unas 10 a 20 paradas para respirar y cambiar la posición de la tabla. Puse la tabla en mi costado, sobre mi cabeza, del otro costado, con una mano, con las dos manos... A veces suelo espiritualizarlo todo, lo sé, pero confieso que buscaba a los lados a algún Simón de Cirene que me echara una mano. Puedo imaginarme a Jesús riéndose de mis pensamientos, lo sé. A mi parecer el peso era de ¡120 libras! Sí, ya sé que soy una exagerada. ¡Pesaba, pues! Eso digo.

En fin, me acerqué al área de la marina porque era más cerca que el balneario, y cuando llegué al agua ya me sentía victimizada por esta sociedad. Me arrepentí del feminismo y cualquier otro tipo de autonomía femenina que ha ido eliminando en el camino a los maravillosos caballeros que pudieron haberme ofrecido ayuda. ¡Oye, que no soy ni feminista ni fisiculturista! Andaba buscando a alguien que me cargara la tabla, sí, esa es la verdad, y ya tenía ganas de ponerme a llorar. Una ayudita a esta flaca jibarita del oeste de Puerto Rico hubiese sido fantástica. Pero, en fin, para cerrar con broche de oro mi caminar por la vía dolorosa, me he caído en la rampa y me he pelado ambas rodillas. Ahora sí que me debo ver tan bonita, sarcasmo incluido. Bueno, ya que me dijeron que pare de coquetear con todos y que me enfoque en Jesús, ahora no hay quien me mire con estas rodillas de niña de 8 años, sudada y posiblemente no muy olorosa. Estas breves conversaciones internas, menos mal que no se proyectan en una televisión. ¡Qué poderosa es la mente!

Era una voz muy sabia como para ser mías sus ideas, era muy rápida como para poder ser mi mente, y y era muy cierta, casi siempre contraria a lo que mi mente decía. Era una voz sublime y salía de mi interior, pero entraba desde mi oído a mi corazón.

-**¿Crees que tu carga es mayor de lo que fue la mía?** - esa voz... - Conozco bien esa voz. Mi corazón comenzó a latir por montón. Ya me gané el primer bofetón del día por atrevida, comparando mi carga con la de Jesús. Sabía que ese sería el inicio de una inolvidable conversación.

-Perdóname, Señor, tienes tanto que hacer en mí aun. Esta reconstrucción va a tomarte tiempo, por favor, no te canses de mí. – respondí en mi interior a Jesús.

Recuerdo desde niña esa voz. No sé decir cuándo comenzó, pero de alguna manera, siempre supe que era la voz de Dios. Quizás alguien me lo explicó, no lo puedo recordar. Pero había estado conmigo siempre. En ocasiones su volumen era muy bajo, pero, en ocasiones, como hoy, casi parecía audible. Era una voz muy sabia como para hacer mías sus ideas, era muy rápida como para poder ser mi mente, y era muy cierta, casi siempre contraria a lo que mi mente decía. Era una voz sublime y salía de mi interior, pero entraba desde mi oído a mi corazón. Era tan clara que puedo tomarla por escrito. Era tan distinta a mis pensamientos que ambos pueden hablar al mismo tiempo. Esa voz era Dios. Siempre fue Dios. Ese es mi Jesús. Hoy va a ser un día muy interesante. Quiero oír su voz, solo su voz.

Dios hace sonreír mi corazón.

-Jesús, mi yugo es fácil, y ligera mi carga. Mi tabla no se compara con tu cruz, mis rodillas guayadas en nada asemejan a las marcas en tus costados. Respondí.

- *Just checking,* hija, *just checking.* - ¿Quién dice que Jesús no tiene sentido del humor? Amo cuando su voz me habla como hablo yo. Él es tan *cool* y tan puro a la vez, ¿cómo lo logra hacer?, Él es Dios. Él me alcanza en mi inmadurez. Él se baja a mi nivel de entendimiento y hace sonreír mi corazón.

-Hoy somos tú y yo, mi niña amada. Hoy tengo para ti una pequeña capacitación.

-Oh, oh... me huele a que será un interesante día...

- Cada día lo es. - respondió sin apuro. - Quiero que entres al agua parada sobre la tabla. Nada de iniciar sobre tus rodillas hoy. Al fin que te evito un dolor y creo que ya lo sabías. No rodillas por hoy. – Puedo ver su rostro sonriendo tiernamente al decirme esto. ¿Quién como Jesús?

-Gracias. – respondí. - No sabía cómo lo haría.

Puse mi tabla en el agua, la acerqué con el remo, y colocando sobre ella mi pie izquierdo hice balance por un momento y cuando fui a colocar mi pie derecho... no sé si sería una broma del viento, pero caí al agua sin que nada me lo impidiera.

O sea, me caí en la rampa y ahora los mismos que me vieron resbalar, me ven caer al agua. ¿En serio?

-Sin drama, hija, fue solo una bromita para refrescarte. – Dios, tú me arrancas las risas más lindas de mi interior. - ¡Te amo, Dios! ¿Así va a ser el día? - pregunté riendo, sin esperar contestación.

No pasa nada. Apenas eran 3 pies de profundidad y de una me quité el sudor de la caminata. Me sentía un poco apenada y ya lucía bastante principiante como para seguir haciendo el papelón, así que saqué fuerzas de donde no tenía, me impulsé con todo, subí a la tabla y me puse en pie en un segundo. Toda una experta. La verdad quería lograr impresionar.

-Bravo, - fueron sus siguientes palabras. - ¡esa es mi niña! - Sonreí convencida de haber impresionado a Papá. Casi hice un gesto de celebración.

Comencé a remar identificando todo a mi alrededor y definiendo mi ruta a seguir. Quería descubrir nuevas áreas y estaba curiosa de acercarme a las áreas de las casas de los millonarios. Quería ver sus patios y soñar que vivía en cada uno de ellos. Pero su voz fuerte detuvo mi plan.- ¿A dónde vas, mi hija?

- ¿Por qué, tienes algún plan? Porque yo tengo algunas ideas.

- ¿Ideas? De esas me sobran. Tengo una para cada día. En una semana armo tremendo paraíso. - Fue su magistral respuesta. Yo sonreí medio apenada.

- Quiero que mires desde aquí al mismo centro de esta marina. Identifica cuál es el centro. - me dijo.

Si persigues mi voz,
avanzarás hacia **destino** *seguro.*

Parecería fácil identificar el centro, pero una vez estás en el agua el centro cambia de posición constantemente. Me dirigí a él y según me acercaba, comenzaba a dudar si era el centro o me había girado a una de las orillas un tanto. Quería obedecer, pero en el agua todo parece inestable, inquieto, movible.

-Así es la vida, hija. Inestable, inquieta, movible. Lo que hoy ves, ya mañana no está. Las metas se mueven con tu caminar y lo único que permanece es mi voz. Si persigues sueños, se moverán al ritmo de tu paddle board. Si persigues mi voz, avanzarás hacia destino seguro. Aprende a escuchar y serás sabia en todas tus decisiones. *"Oirá el sabio, y aumentará el saber, Y el entendido adquirirá consejo."* (Proverbios 1: 5)

- Ahora, hija, para de remar.

Esas fueron sus últimas palabras por las siguientes dos horas.

Yo preguntaba - ... Jesús... ¿te fuiste a atender a otra chica? ¿Hay algo pasando en el mundo que te necesita? ¿Se te olvidó que íbamos de paseo? ¿Dónde estás? ¿Por qué el silencio? ¿Qué hago ahora?

Me enloquece el silencio. La ausencia.

En mi monólogo de dos horas dije tanto. Creo que apenas me callaba por unos dos minutos y volvía a intentar convencerlo de responder.

- El silencio va a lograr que me vaya -, le decía insistiendo. Esto no funciona conmigo, Jesús. No me dejes aquí. Yo tengo una hija. - Intenté todo y nada. Dos horas más tarde decidí acostarme sobre la tabla y callarme. Debí haber decidido hacer eso antes. Llevaba parada dos horas esperando. Me acosté y permanecí en silencio por quizás 10, 20 o 30 minutos... no lo sé. Perdí el sentido del tiempo. Una paz me inundó. La satisfacción de la quietud al fin cautivó mi alma. En ese tiempo supe que no tenía que hablar para decir palabras. Que no tenía que escuchar para recibir instrucciones. Que no tenía que moverme para avanzar.

- Hija, solo tienes que aprender a esperar para que disfrutes la espera.

-Señor, ese libro me lo leí, "El valor de la espera" de Stephanie Campos, muy lindo, pero no pensé que veníamos aquí a esperar... sino a una aventura...

-Hija, la espera sana. Mientras esperas cosas pasan, cosas que tú no ves. En tu espera te calmas. Tu piel se maduró en tu espera bajo el sol, así como lo hace tu alma. Cuando caminas conmigo verás que aún la espera es acción. Ponte de pie y rema, quiero que veas el camino. Llegó el tiempo de la acción.

Hoy descubrí que esperaré porque no necesito nada si lo tengo a Él, pero lo perdería todo si Él no está.

Me incorporé para remar y no puedo explicar cómo pasó. ¡Estaba justo detrás de las casas de los millonarios! ¿Pero cuando nos movimos ahí? Estaba justo al centro de la salida de la marina. Lejos de todo, cerca de nada. ¿Cuándo y cómo llegué aquí?

- Deléitate en mí y yo te concederé los deseos de tu corazón.

-Es el Salmo 34:7, me lo sé muy bien, es uno de mis favoritos. Tanto ese como este otro que dice: *"Hubiera yo desmayado, si no creyese que veré la bondad de Jehová en la tierra de los vivientes".* (Salmo 27:13)

-Hija, ese verso continúa diciendo: "*Aguarda a Jehová; Esfuérzate, y aliéntese tu corazón; Sí, espera a Jehová.*"

-Y hoy te digo: *"Cuando pases por las aguas, yo estaré contigo; y si por los ríos, no te anegarán..."* (Isaías 43:2) *blog*

Hoy viví una tarde muy romántica. Versos de amor salían de sus labios uno tras otros. Yo me sentía como novia ataviada para casamiento. Descubrir el amor de Jesús fue sanando cada inseguridad que tenía y cada duda de un futuro para mi vida.

Mientras miraba las lujosas casas, ya no me imaginaba habitando en ellas, mi visión había cambiado. Podía ver las aguas e imaginarme estar caminando sobre las calles de oro puro como cristal que la Biblia describe en Apocalipsis 21:21. Las hermosas mansiones que Jesús se fue a construirnos.

Esa tarde me enamoré de Jesús completamente. Allí confirmé 5 cosas:

✓ Que no quiero nada sin Él. Descubrí que si para estar en pareja tengo que dejarlo, prefiero quedarme sola y servirle.

✓ Llegué a la certeza de que si algún día vuelvo a tener una oportunidad en el amor, tiene que ser un hombre dado por Dios y no buscado por mí.

✓ Quiero a alguien que se le parezca. Que sus versos de amor suenen a Jesús, que su voz me recuerde a la que he escuchado hoy. Que su trato sea suave, como el que Jesús me da.

✓ Quiero que su amor me haga recordar al del amado. Que nuestros corazones palpiten a la velocidad de Jesús en ellos, como una sola canción.

✓ Quiero a un imitador de Jesús en esta tierra, quiero ver a Jesús en mi amado, o no quiero nada.

Hoy me enamoré. Hoy descubrí el amor en Jesús. Hoy descubrí que esperaré porque no necesito nada si lo tengo a Él, pero lo perdería todo si Él no está.

Si este mensaje te ayuda, te toca, te edifica o puede ayudar a alguien más, por favor, compártelo en tus redes sociales bajo el #mitabladelsavacion

Conocer a mi verdadero *padre*

"Cuando creíamos que estábamos solas,
estábamos descansando sobre
una tabla de salvación que eran Sus manos."

Elisa Pilardo

"Como el padre se compadece de los hijos, se compadece Jehová de los que le temen".
(Salmo 103:13)

Esta mañana me levanté tan cansada. Me fui a mi rincón de oración en la sala y no hacía otra cosa que quedarme dormida. Luchaba con el sueño e intentaba adorarle. Era sábado, la semana había sido tan pesada y hoy iba de salida con mi hija y mis amigos Sandra y Luis a otra aventura en el paddle board. Pero estaba verdaderamente cansada. Trabajo de lunes a viernes, y los sábados quisiera poder quedarme más tarde en mi cama, pero es que no me quiero perder de mis mañanas en la presencia de Jesús. Me quedé dormida por minutos y al despertar comencé a pedirle perdón al Señor. Me sentía tan avergonzada porque no había podido mantenerme despierta para orar como había acordado. Y de pronto una visión comienza a fluir. Dios me habla en visiones de una manera muy especial. Como si me pusiera una pantalla de televisión gigantesca frente mis ojos. Sin importar si mis ojos están abiertos o cerrados puedo verla, y no me impide seguir viendo el mundo natural. Es como mejor lo puedo explicar.

Visión: Es una casa de dos niveles, hay un papá sentado en el sofá leyendo su periódico y tiene su pierna cruzada sobre la otra. Él ve venir a su pequeña hija de aproximadamente cuatro años bajando las escaleras. Ella trae en brazos a su peluche, está sin zapatos, con su pijamita que ya le llega a la mitad de la pierna porque ha crecido. Está despeinada, con nudos en su cabellera y aún con sus ojitos sucios y cansados. La niña se acerca al papá y él entiende el mensaje... Se quita el periódico de su falda, extiende sus brazos para levantarla y colocarla sobre su falda.

Solo tengo que correr *a sus brazos y dejarle saber que no quiero que el día comience sin estar recostada sobre su pecho.*

- Mi niña vino a verme,- fue su pensamiento. Una sonrisa de satisfacción se asomó en el rostro de su padre. La niña, sin pronunciar una palabra, recuesta su cabecita sobre su pecho y cierra sus ojos. El papá comienza a acariciar su despeinada cabellera y la contempla sonriendo.

En ese momento la voz de Dios comenzó a hablarme a mi corazón y me decía: "¿Tú crees que ese papá espera algo más? ¿Piensas que ese papá está esperando tener una profunda conversación con su hija? ¿Crees que hace falta? Ese padre carnal y amoroso sabe que su niña está cansada, pero que con gran sacrificio se levantó para estar en sus brazos. Ella quiso venir a abrazarlo y esa ha sido la mayor demostración de amor de su pequeña hija. En el rostro de ese padre hay una sonrisa, y su día está pleno porque su niña se salió de su comodidad para venir a él. Porque su niña puso el tiempo con su papá por encima de su tiempo de descanso. Porque su niña se siente más cómoda en el pecho de su padre que en cualquier otro rincón de su habitación. El gesto de esa niña llenó de gozo el corazón de ese padre y nada tiene mayor valor para ella que ese momento.

La imagen que Dios me mostró esta mañana me hizo entender su corazón Paternal. Dios me ama porque sí. Él quiere tener una relación conmigo como un padre lo desea con su hija. No tengo que pretender ser, no tengo que decir oraciones largas cuando solo siento estar cerca, no tengo que hacer un estudio bíblico cada mañana con temor a ser descalificada. Solo tengo que correr a sus brazos y dejarle saber que no quiero que el día comience sin estar recostada sobre su pecho.

Me quedé dormida en ese mismo rincón y desperté sabiendo que había dormido en sus brazos de amor.

Mi vida es tan diferente ahora. Un hermoso despertar ha ocurrido y no quiero que se detenga nunca. Está por cumplirse un año de mi viaje a Aruba y de mi divorcio, y aún recuerdo el dolor y el temor que había en mi corazón. Hoy disfruto de mañanas de amor con Jesús, una vida plena con mi familia y amigos, y al fin se perfila la posibilidad de comenzar a presentar a mi jefa algunas ideas para la colección de verano del siguiente año. Estudié diseño de modas y ha sido supremamente difícil lograrme posicionar. La competencia es muy ardua y no tengo el tiempo para ir a los eventos nocturnos a donde van otros diseñadores de renombre. No tengo las influencias ni el estilo de vida que me permita avanzar. Pero sé que a mi paso llegaré. Llegaré a ser lo que Dios quiera que sea.

-Epa, mija, ya venimos por ti. - Es la voz de Luis que ha llegado por nosotras.

-Está haciendo frío, Luis, - repliqué - ¿Estás seguro de que es un buen día para salir al agua? - pregunté. No tengo mucha resistencia al frío, pero sí al calor.

-Te aseguro, mi niña, que no te arrepentirás. Es un lugar al noroeste de donde estamos, a unas dos horas de camino. Es un río hermoso lleno de árboles altísimos en sus costados y el reflejo sobre el agua es como un sueño. Mientras vas en el agua te da la impresión de estar saltando entre árboles.

- Ay, eso suena hermoso. Ya me convenciste, Luis.

-Pero vengan bien abrigadas-, me dijo Sandra, -hay bastante viento y la temperatura no alcanza los 60° Fahrenheit. La niña viene con nosotros, ¿cierto?

-Sí, Penélope Sofía está lista desde anoche; no puede esperar.

Mientras íbamos en el camino con nuestras tablas, listos para la aventura, Luis usó el tiempo para hacer una llamada en alta voz a su papá en Venezuela. Disfrutaba escuchar a Don Rafael, el padre de Luis, aconsejándole y preguntando por su hermano Raúl, discutiendo temas cotidianos y situaciones de sus hijos y nietos. Escuchar a este tierno señor expresar su amor por sus hijos fue especial para mí. La paternidad de un hombre, su corazón por sus hijos y por sus nietos era especial para mí porque no lo escuchaba de mi propio padre. Y la experiencia que tuve esta mañana comenzó a mostrarme un nivel de amor paternal de Dios que no conocía del todo.

Tal cual si Luis me estuviese escuchando los pensamientos, interrumpió su tema para preguntarme: -Hija, ¿conoces la paternidad de Jehová? - No supe qué responder ante eso. No sabía si había una respuesta correcta a esa pregunta o era una pregunta de reflexión... Por los pasados seis meses había hecho de Jesús mi mejor amigo, mi amado, mi acompañante a todos lados. Pero, ¿era Jesús mi padre? Creo que no sabría cómo responder. Me quedé pensativa sobre su pregunta y le dije que iba a pensar sobre ella y le respondería más adelante.

Cuando creíamos que estábamos solas,
estábamos descansando sobre una
tabla de salvación
que eran sus manos.

Llegamos al lugar de destino y era para mí toda una nueva aventura porque mi hija Sofía nos acompañaba. Como ya les he contado, no sé nadar y si algo le pasa a mi chiquita no lo pensaría dos veces para tirarme a tratar de rescatarla, así me cueste la vida. Cuando llegamos al lugar, Luis no bajó su tabla regular, sino una caja. Se acercó a un grupo de personas que estaban coordinando el tour y se alejó con ellos. Al regresar lo hizo en una tabla gigantesca. Nunca había visto una tabla como esa. Él dijo que seis personas podían remar a la misma vez en esa tabla. Pero, era inflable, ¡hm! Eso no me daba mucha confianza... Hasta que la toqué y me pude dar cuenta de que era tan sólida como cualquier otra.

Luis me dijo: - Pamela, para tu comodidad, me traje esta tabla para que la niña Penélope pueda ir con nosotros. Si quieres, puedes venir en esta tabla o puedes permanecer en la tuya. - Realmente quería experimentar aquel lugar desde mi propia independencia, por tanto, con cariño repliqué que me iba a quedar en la mía, pero que observaría de cerca su aventura en la tabla gigantesca con mi niña. Me daba confianza saber que mi hija iba en una limosina.

Sandra, al igual que yo, usó su tabla personal, y Luis y Penélope Sofía se embarcaron en la tabla gigante. Ellos iban delante de nosotros. Ver a mi hija sentada cómodamente y segura, siendo Luis el que dirigía, me daba la confianza de saber que todo iba a estar bien. Sabía que mi hija estaba en buenas manos. Sabía que nada iba a pasarle y que si algún incidente ocurría, él sabría cómo protegerla con su propia vida. Me daba tanta paz saber que mi hija estaba en buenas manos...

De pronto lo vi. Pude ver aquella tabla gigantesca como la mano enorme de Dios. Pude verme como a mi pequeña Penélope, cubierta por la mano de ese gran Creador. Pude ver a Jesús como Luis, dirigiendo la barca, dirigiendo el destino, el curso de mi vida. Tuve una visión del cuidado de Dios sobre mí. Así es mi vida, así es como Dios me cuida, como Luis en la tabla cuida de Penélope Sofía.

Él proveyó para ella un guía en su aventura, y proveyó una tabla mucho más grande de lo que ella podría necesitar, solo para permitir que se sintiera segura. Lágrimas corrían por mis mejillas cuando pensaba que de la misma forma, Dios Padre nos cuida. Entendí que si yo, en mi humanidad pecaminosa, era capaz de dar mi vida por mi hija, cuánto más Dios. Entendía el amor del Padre. Su sacrificio. Ese Juan 3:16 tan mencionado hizo sentido para mí:

"Porque de tal manera amó Dios al mundo, que ha dado a su Hijo unigénito, para que todo aquel que en él cree, no se pierda, mas tenga vida eterna."

Juan 3:16 (RVR 1960)

Hoy pude ver, entender el amor y cuidado de Dios por las viudas y los huérfanos. *"Padre de huérfanos y defensor de viudas Es Dios en su santa morada",* dice Salmos 68: 5. -Esas somos mi mamá y yo. Él defiende y cuida a mami, por eso ella nunca ha buscado a nadie; Él es mi Padre y nunca me ha faltado. Quizás yo no lo vi, yo no entendía su presencia, pero Él estuvo ahí. Siempre con nosotros. A través de Coco, a través de Penélope y hoy a través de Luis nos muestra que sigue cuidando de nosotras. Mi mamá y yo ocupamos un lugar prominente en el corazón del Padre, no hay duda.

Al recibir el agua que da **vida**
reverdecerás y producirás frutos eternos.

Lloraba mientras miraba aquella tabla moverse con mi hija sonreída, confiada, sencilla. Y pude darme cuenta de que era así como Dios me veía. Él puso la vida de mi mamá y la mía sobre una tabla, y la protegió durante todos estos años. Cuando creíamos que estábamos solas estamos descansando sobre una tabla de salvación que eran Sus manos. Dios nos llevó al lugar seguro, nunca permitió que cayéramos en lugar peligroso, no estoy desamparada, lo tengo a Él, mi Padre me ama y ha estado junto a mí toda la vida.

Miraba el paisaje. Aquellos altos árboles parecían tocar al cielo. Algunos habían caído sobre el agua por causa de tormentas eléctricas y huracanes. Aun caídos mostraban su esplendor...

-Dice el libro de Job, Pamela, que si el árbol fuere cortado, aún queda de él esperanza; retoñará aún, y sus renuevos no faltarán. Si se envejeciere en la tierra su raíz, y su tronco fuere muerto en el polvo, al percibir el agua reverdecerá, y hará copa como planta nueva. Ese verso debe recordarte dos cosas: que tú eres la esperanza que tu padre dejó en la tierra, su retoño que hoy comienza a florecer. Y que no importa que tú hayas caído, al recibir el agua que da vida reverdecerás y producirás frutos eternos. - Sandra, Sandra, mujer de pocas palabras, pero cuando habla, la tierra tiembla. ¡Qué nivel de profundidad tiene esta mujer! Ya jamás seré capaz de ver un árbol caído de la misma manera.

-Tú decides si pasas por encima o por debajo al árbol. Pero pasarás al otro lado. - me gritó mientras se ponía de cuclillas para pasar por debajo del árbol.

Mientras estés de rodillas en la vida
no caerás.

Wao, ¡qué reto! Todos teníamos que tomar esa decisión y todos estaban detenidos esperando a ver cómo cada uno lo iba haciendo. Algunos aventureros brincaron sobre el árbol y cayeron sobre su tabla al otro lado. Luis cautelosamente y haciendo uso del gran balance que tiene se mantuvo en pie y con prontitud cruzó sus piernas sobre el árbol, y estando ya en el otro lado se volteó y tomó a mi hija por su costado y como a una hojita la pasó al otro lado. Todos aplaudimos ante el impresionante despliegue de control en sus movimientos.

Gran decisión frente a mí. Decidí aplicar lo aprendido: mientras estés de rodillas en la vida, no caerás. Me puse de rodillas, doblé mi torso y me humillé, me rendí. Pasé la prueba sobre mis rodillas porque es como prefiero vivir, en total rendición a su voluntad. Las sonrisas de mi hija, de Luis y de Sandra me confirmaron que era lo que debía hacer.

Al otro lado del gran árbol caído, decidimos tomar un breve descanso y algunos se lanzaron al agua. Fue la excusa perfecta para poder hacer un cambio en el plan. Quería desesperadamente participar de la experiencia de estar sentada en la tabla gigante. Así que, sin timidez alguna, le pedí a Luis si podía unirme a su tabla. Sandra también se inspiró y Luis nos dio un paseo alrededor de aquel hermoso lugar. Penélope y yo nos acostamos en la tabla mientras Sandra y Luis remaban. Mirábamos juntas el hermoso cielo que nos cubría. ¡Qué experiencia! Abracé a mi chiquita y disfrutamos del sol que tiernamente nos alcanzaba.

Disfruté el vaivén y el movimiento sabiendo que podía confiar completamente en estos expertos que Dios había puesto en mi camino. Disfruté cada minuto en aquel lugar, dejando que el amor de mi Padre me acompañara. Esta tabla es su mano que me sostiene, la brisa es su amor que nos acaricia, el sol son sus ojos que no dejan de vernos... El Padre nos ama tanto que no hay nada que no haría para nosotros. Supe por primera vez lo que es vivir protegida. Calmada. Serena. Descansando en los brazos de su amor. Hoy conocí el amor del Padre.

-Luis, ya tengo respuesta a tu pregunta. Hoy conocí el amor del Padre. No es algo que puedes estudiar, lo sientes. Hoy lo he sentido.

Esta tabla es su mano que nos sostiene*,*
la brisa es su amor que nos acaricia,
el sol son sus ojos que no dejan de vernos.

Iré a la casa de mi Padre.

Caminar con el Espíritu, la entrada a la mansión.

"Y me hizo sacar del pozo de la desesperación, del lodo cenagoso; Puso mis pies sobre peña, y enderezó mis pasos". (Salmo 40:2)

Era el día de mi cumpleaños. Han pasado casi dos años de conocer a Sandra y Luis, y ellos decidieron darme una linda sorpresa. Me llevaron a un lugar llamado Mount Dora en el centro de la Florida. Fuimos a hacer paddle board en un pequeño río que atravesaba la ciudad dejando al descubierto su hermosa naturaleza, a un lado árboles, parques y flora impresionante, y al otro lado lindas casitas de personas mayores de 55 años. El río desembocaba en una amplia y hermosa piscina natural que parecía el océano. Iba preparada con música para disfrutar este paseo y hacer de este día de cumpleaños uno maravilloso. Pero Dios tenía reservada una experiencia diferente para mí. Una aún más maravillosa. Antes de salir al agua, Luis me pidió que le permitiera hacer una oración especial por mí.

- Pamela, hoy es un día importante para ti porque estás cumpliendo 30 años. Es una fecha trascendental en tu vida y es el comienzo de una nueva década. Yo quiero orar para que puedas recibir el mejor de los regalos que los hijos de Dios pueden tener. Y es el regalo de su Espíritu Santo. Sin Él es muy difícil sobrevivir a las difíciles condiciones del agua contaminada en la que vivimos. Difícil es atravesar las altas montañas de las dificultades. Y es casi imposible sobreponerse a las marejadas de la vida. Pero cuando tenemos al Espíritu Santo, Él nos guía hacia lugares deleitosos. Él trae paz en medio de cualquier difícil situación. Él revela a nuestro corazón los deseos del Padre. Él es nuestro consejero, nuestro ayudador, y nuestro consolador. Y si hay un regalo que yo quisiera pedir al Padre para ti en este día es que puedas recibir a su Espíritu Santo. - Continuó diciendo: - Yo te he ido conociendo en este año y medio que hemos compartido y he visto el gran crecimiento en ti. Recuerdo cuando tu madre te dijo que te quedaras sola durante un año, y mírate. Ahora dices que vas por dos. Yo quiero orar. - Y esta fue su oración:

Jesús, yo clamo a ti. Padre, yo vengo a ti en el nombre de Jesús, tu Hijo amado, para pedirte que bautices a tu hija con el poder de tu Espíritu Santo en esta mañana, y que ese sea tu regalo para este día en su vida. En el nombre de Jesús, amén.

Su oración fue tan sencilla que no sabía realmente qué era lo que debía esperar. Pensaba que iba a hacer una oración que iba a provocar que se separaran las aguas, salieran fuegos artificiales de los árboles o temblara aquel lugar. Pero nada pasó. Él se fue muy tranquilo a colocar su tabla en el agua y me dijo: "Ya está, Dios lo hizo". Yo no sé qué él vio, pero yo empecé a sentir como un frío. No sabía si eran los nervios de la anticipación, no sabía si era producto de aquella oración, si era frío o si era alguna manifestación de su Espíritu Santo en mí, pero yo estaba temblando. Esa mañana algo cambió. Tan sutil, tan sublime, tan sereno, pero tan profundo y tan puro que mis lágrimas no paraban de bajar por mis mejillas. No sabía si era capaz de montarme en la tabla. Sentía que temblaba y sentía vergüenza de comentarlo, pero una mirada de complicidad de Sandra lo cambió todo. Ella se me acercó con dulzura, puso su mano en mi hombro y me dijo: - Tranquila, que eso es la presencia de su Espíritu Santo. Solo puedo decir: ¡Gózalo! - Era mágico, era sobrenatural. Y yo me sentía tan y tan no merecedora de estar sintiendo esa hermosa sensación.

Sequé mis lágrimas tratando de sobreponerme para comenzar la aventura, pero ya nunca pararon de bajar. Fuimos en nuestra aventura en río abajo, pero lo que yo estaba viviendo en mi interior opacaba toda la belleza de aquel lugar. Algo seguía moviéndose en mi interior y no era capaz de estar 100% presente disfrutando aquella naturaleza. Una vez más, la visión comenzó como si Dios bajara la pantalla de cine para proyectar una película frente a mis ojos. Era literalmente estar viendo una película. Era raro, porque no me impedía ver el camino. Mis ojos naturales podían ver, y podía continuar moviéndome en mi tabla de forma segura, sin cometer errores. Pero a la misma vez estaba viendo algo que podría describir como una visión espiritual. Trataré de ser lo más detallada posible al compartir lo que mis ojos vieron.

Vi una mansión enorme, hermosa. Una mansión quizás parecida a la de algún rico famoso actor de Hollywood. Tenía una entrada con puertas dobles de roble y los vitrales majestuosos. Las puertas eran altas, quizás tres veces más altas que yo. Yo me acerqué a esa puerta y quise tocar, pero no lo hice; solo me detuve. Mi vestido estaba roto, mi pelo estaba desordenado, tenía nudos en la cabeza, mi traje estaba lleno de fango, estaba descalza. Tenía moretones en mi cuerpo, rasgaduras, sangre salía de algún lugar de mi estómago, o de mi corazón. Era yo, pero muy maltrecha.

La puerta se abrió sin que yo la tocara. Como si me hubiesen estado esperando. En la puerta un amable caballero me recibió. Detrás de él, tres o cuatro hermosas doncellas vestidas como elegantes siervas. Utilizo la palabra doncellas porque no sé de qué otra forma describirlas. Ellas eran tan lindas, tan dulces, sus vestimentas eran hermosas, limpias, sonrientes, maduras, sutiles, dispuestas con una sonrisa a servir. El caballero era noble y muy correcto. Me invitaron a entrar y me tomaron de la mano. Desde el momento en el que crucé la puerta las doncellas comenzaron a peinarme, a quitarme basura de encima y a atenderme.

Sanaré cada una de tus heridas, curaré cada una de tus llagas, te cubriré con mi sangre, te limpiaré con mi amor, quitaré las escamas de tus ojos, cepillaré tus cabellos y te haré ver mi voluntad *para tu vida.*

Caminé unos pasos y frente a mí estaba Jesús. Radiante, sonreído, confiado, Rey. Tenía que ser Él. No puedo describir con detalles su apariencia física, pero su presencia era única. Era paz. Tenía esta sensación de estar parada frente a alguien tan grande, tan puro, tan mío y yo tan suya, pero tan Santo. Él me abrazó como a una niña, sujetó mi rostro y me dijo: - Estás en casa, hija. Todas las cosas viejas pasaron; yo haré todas nuevas. Estás en el lugar correcto y aquí yo tendré cuidado de ti. Sanaré cada una de tus heridas, curaré cada una de tus llagas, te cubriré con mi sangre, te limpiaré con mi amor, quitaré las escamas de tus ojos, cepillaré tus cabellos y te haré ver mi voluntad para tu vida. Te he traído aquí para cuidarte. -

Permíteme vivir a tus pies.
Permíteme habitar en el lugar de tu presencia.

Él caminó conmigo y comenzó a mostrarme el palacio en donde iba a estar habitando, y me dijo: - Este es el lugar donde viven mis hijos y tú eres una de ellos. Pero hay un lugar especial donde mis hijos pasan una temporada para ser sanados. Yo lo interrumpí súbitamente, y clamando le pedí: -Por favor, Señor, no me alejes de ti, donde único yo quiero estar es a tus pies. Yo puedo vivir ahí. No me mandes a ningún lugar lejos de ti. Permíteme vivir a tus pies. Permíteme habitar en el lugar de tu presencia. Quiero caminar contigo y quiero asegurarme de no alejarme de ahí. Permíteme habitar a tus pies, amárrame a ellos y no me dejes ir. -Él me miró y sonrió enternecido, me abrazó y me dio paz.

Caminó conmigo hacia una pequeña habitación en el primer nivel de la gran mansión. Podía ver unas escaleras hacia un lugar amplio y veía personas habitar y convivir en el aquel hermoso lugar. Ellos sonreían, conversaban, todos se veían relucientes, gente linda, y llenos de un gozo muy especial que yo no tenía. Él me miró, y los miró a ellos y observando a las personas me dijo: - Tranquila, hija, que un día muy pronto estarás allí con tus hermanos. Pero por ahora te quiero en un lugar especial.-

Me llevó a este pequeño cuarto. Tenía una cama de una sola plaza, una mesita pequeña y una lámpara. Todo era de color blanco y rosado. Desde la pequeña habitación yo podía ver un gran trono. No lograba ver la totalidad de aquel trono; solo veía una de las patas del trono de color dorado como el sol. Sabía que era el trono de Dios, así que estaría a sus pies. A este punto yo pensaba: "o yo estoy loca o tengo una visión caricaturista". Pero no quería que la visión se detuviera para nada.

Yo podía ver un pie gigantesco y sabía que era el de mi Padre celestial. Jesús me dijo: - El deseo de tu corazón será cumplido. Vas a habitar a los pies del Maestro. Nadie te arrebatará. Nadie podrá tomarte por la fuerza y sacarte de mi voluntad porque para ir contra ti, tendrían que intervenir conmigo. Habitarás a mis pies y aquí serás sanada.- Observé que en la pequeña habitación había una pintoresca ventana.

La miré curiosa sin hacer comentarios, pero Él no me dejó adivinar. - He dejado esa ventana para que sepas que conservas tu libertad. Si en algún momento tú decides salir y no habitar más en este lugar puedes hacerlo. La ventana está abierta; en cualquier momento puedes salir. Necesitas saber que esa ventana es la entrada al mundo exterior, por lo cual, tentaciones y el pasado vendrán a pararse en ella para invitarte a salir. No la voy a cerrar porque debes ser tú quien libremente decidas. Yo no obligo a nadie. Será tu voluntad. Muchas veces has estado aquí, te he traído a este lugar y te has escapado hacia tu pasado hacia las tentaciones de este mundo, hacia el lodo cenagoso. Has caído en las manos de muchos malhechores que te han dejado como estás hoy. Las marcas que tienes hoy son el resultado de las veces que te has escapado por esa ventana para volver a tu pasado o para ir tras las tentaciones de este mundo. En cada una de esas veces te has golpeado fuerte, has lastimado tus rodillas, has destruido tus vestimentas, has enfangado tu rostro. Has sido atacada por leones feroces y por lobos rapaces. Todos los abusos que has experimentado los puedes dejar atrás, si permaneces en esta habitación segura. Tú decides. Si en algún momento quisieras cerrar esa ventana para siempre, eres tú quien tiene que hacerlo. Yo nunca te abandonaré ni te dejaré, pero tampoco te forzaré a permanecer. -

Yo me sentía tan acogida en aquel hermoso lugar que no podía entender de qué manera yo podía sentirme tentada a salirme de él. Pero reconocí que ya lo había hecho muchas veces antes. La visión continuó y pude ver cómo personas de mi pasado se paraban en aquella ventana para invitarme a salir a dar una vuelta. Pude ver que aquella ventana era muchas veces las redes sociales que me tentaban a ir a buscar lo que Dios no me mandó a buscar.

Yo quiero a alguien dado por Dios y no a alguien que yo misma busque. Yo no quiero volver al pasado, sino caminar hacia el futuro. Pero pude ver claramente cada una de las personas y situaciones que se paraban en aquella ventana para hablarme, particularmente durante las noches, cuando trataba de dormir y mis pensamientos me despertaban dándome grandes ideas de cómo podría yo misma solucionar mi vida si hacía tales cosas, o si invitaba tal o cual persona a buscarme a mi habitación. En mi visión pasaron los años y yo pude ver cómo cada día mi aspecto iba mejorando, cómo mi cabello comenzaba a suavizarse, cómo las heridas comenzaban a sanarse. Mis vestidos eran diferentes; estos eran blancos y estaban limpios y planchados.

Llegamos al final del camino en el rio y era tiempo de descansar o regresar. Yo no quería interrumpir lo que estaba viviendo y como si lo hubiesen percibido, Luis me dijo: -Pamela, ¿quieres que nos demos vuelta y continuemos remando? Veo que estás en silencio, y me imagino que estás en la presencia de Dios.

-Tanta sabiduría que le ha dado su caminar con Dios.

- Sí, Luis, quiero continuar, no quiero ahora conversar.

La visión regresó. Tenía unas hermosas zapatillas tan cómodas y relucientes. Me sentía como una princesa. Podía verme cada día levantándome en la paz de Cristo. Caminaba y mi desayuno era servido. Compartía la mesa con Jesús, su Espíritu Santo me guiaba a los jardines y disfrutaba de las flores y de los pajaritos. Corría por sus jardines como una niña, y cada día mi corazón sanaba un poco más. Podía ver la transformación ocurrir en mi aspecto físico, como un reflejo de lo que le estaba pasando a mi alma. El corazón alegre hermosea el rostro, no hay duda de ello.

Pasaron unos minutos y la visión se detuvo. Meditaba en ella y mi corazón saltaba de emoción. Ahí era donde estaba. Le prometí a mi mamá un año de no mirar a nadie. Creo que puedo ir por unos más. No quiero volverme a equivocar.

Decido entregarme al proceso y sanar. Decido esperar y confiar en que si es la voluntad de Dios, Él me traerá a la persona correcta en el momento oportuno.

Hay un lugar reservado para los afligidos de corazón, para los quebrantados, para los solitarios, para los enlodados, para los maltratados.

Estaba cautivada por la visión en el Espíritu que había recibido. Si esto es caminar en el Espíritu, yo quiero esto todos los días de mi vida. Su Espíritu Santo me había permitido ver en dónde yo estaba espiritualmente. Me dejó ver cómo llegué, en qué proceso estoy y hacia dónde voy. ¡Cuánto creció mi confianza al saber que habito en el palacio del Rey! Que mi habitación son sus pies, que mi compañía diaria es su Espíritu. Saber que Él ha asignado ángeles para que cuiden de mí. No soy merecedora de tanto. Nunca en mi vida he experimentado tantos cuidados hacia mi persona. No conozco lo que es la vida de las personas ricas. No sé lo que es ser servida por alguien más. No conozco lo que se siente que alguien sirva tu comida, limpie tu casa y haga tu cama. Mucho menos puedo imaginarme que alguien cepille mis cabellos, me cambie de ropa y me atienda con tanto amor. Este nivel de amor me sobrepasa. Rompe en mí todo sentimiento de orfandad y abandono. Me muestra un nivel de amor y de compasión del Padre que no creí conocer jamás.

Esta visión es mía y la comparto sabiendo que algunos dirán que no tiene base teológica o que no es bíblica. Honestamente lo que el mundo piense me tiene sin cuidado. Lo que esta visión produjo en mi espíritu fue un enamoramiento total de su Santo Espíritu. El fruto que dio esta visión en mi vida cambió mi forma de ver el amor de Dios. Era lo que yo necesitaba y creo con todo mi corazón que Dios me la dio a mí porque yo necesitaba creer que Él cuida de mí. Yo necesitaba creer que hay un futuro y una esperanza. Yo necesitaba saber que hay un lugar reservado para los afligidos de corazón, para los quebrantados, para los solitarios, para los enlodados, para los maltratados. Yo necesitaba saber que hay un lugar personal en donde Dios cuida de nosotros. También necesitaba saber si en algún momento seré sana, libre y feliz junto a otros hermanos de la fe. Pero en este momento solo quiero estar a sus pies.

Sus pies son el lugar de mi descanso, mi habitación.

Al regresar a la orilla yo seguía tan llorona y silenciosa como cuando nos fuimos. Pero mi rostro no era de angustia, sino el de paz, un rostro que mostraba la plenitud de Cristo. Luis me miró sonriente y dijo: - No sé lo que ha pasado en tu interior, pero sé que Dios te ha permitido tener el mejor regalo de cumpleaños de tu vida hasta hoy. Y puedes estar segura de que lo que Él te ha prometido lo hará, y lo que Él te ha mostrado ha de realizarse. Estás en los brazos del Señor y Él cuida de ti. Yo le respondí corrigiéndole: -No, yo sé dónde estoy, y estoy a los pies de Cristo, el mejor lugar en donde pueda estar, el más seguro.

blog

No hay mayor hermosura en la naturaleza que la que se encuentra en lo sobrenatural de Dios. La visión que Dios tiene para tu vida, con tus ojos humanos no la puedes ver. Quiero caminar en el Espíritu cada día, sabiendo que habito en lugares celestiales. Su Espíritu Santo me llevará a lugares insospechados y me hará vivir experiencias inexplicables.

Me he enamorado de su Espíritu Santo y no quiero habitar en ningún otro lugar que en el lugar de su presencia. Quiero vivir a sus pies y saber que estoy al alcance de su mano. Que sus pies son el lugar de mi descanso, mi habitación. No quiero volver atrás, no quiero que la tentación y el pasado me arrastren hacia una ventana de dolor. Decido mirar hacia el trono de su gracia, decido mirar hacia la luz de su presencia. Decido caminar en los jardines de su amor, decido sonreír al toque de su Espíritu y a su voz correr para ir a cenar con Jesús. Cada día quiero habitar en los palacios de su amor.

Si este mensaje ha tocado tu corazón, compártelo, y bendice a otros en las redes sociales usando el #mitabladesalvacion

"Bienaventurado el hombre que persevera bajo la prueba, porque una vez que ha sido aprobado, recibirá la corona de la vida que el Señor ha prometido a los que le aman."
(Santiago 1:12, LBLA)

Te amo, Señor, nunca quiero alejarme de tu presencia. Necesito de tu amor, necesito tu presencia, necesito conocerte más, llenarme más. En mis fuerzas, mi Señor, fallo constantemente. Pero creo que en ti, encontraré el camino, en tus brazos siento plenitud de gozo. En tu presencia me siento completa. Es por tu amor que he podido superar tantas cosas, y si hoy estoy de pie es porque tú me has sostenido. Tu brazo me levantó y nunca me ha dejado. Te amo, Señor.

Esa fue mi oración esta mañana. He entendido que el propósito de Dios para mí en esta temporada no lo puedo lograr si no es en oración constante. Es lo único que me mantiene enfocada. Pero cae la noche y la guerra arrecia. Es tan difícil cuando llega la noche y acuesto a Penélope. Después de trabajar varias horas en las tareas de la escuela, quisiera poder llegar a mi habitación y tener con quien compartir mis conversaciones de adultos. Dormí con mi mamá en la cama desde que tenía cinco años, luego llegó PitaSofía, y dormimos juntas las tres hasta que ella tuvo 5.

Luego de que me divorcié dormíamos mi hija y yo juntas hasta hace apenas unos meses que comencé a dormir sola.

Se siente tan raro llegar a mi habitación y estar sola. Somos tres mujeres en esta casa. – Señor, ten compasión de nosotras, trae un varón que nos cuide. - Esa es mi oración siempre. Creo que tiene una pizca de intento de manipulación, pero es sutil. Pero ya he entendido que es caso perdido. Intentar manipular a Dios no funciona y quizás hasta me atrasa. Pero es que se siente un desierto en mi pecho, un frío de soledad. Cuando llega la noche solo quiero llorar e intentar una vez más convencerlo de cambiar el plan. Y Él me recuerda esa ventana. Esa ventana que me permite irme si lo deseo, que me permite volver a seleccionar por mi propia cuenta. Pero esa ventana que también representa las caídas, los tropiezos, las malas decisiones, el dolor. Y no puedo negar que por momentos reflexiono para saber si debería como quiera tomarme el riesgo y salir por la ventana una vez más. En fin, las misericordias de Dios son nuevas cada mañana, dice su Palabra. Si cometo un pequeño error, quizás Él igual me perdone. Todos estos pensamientos cruzan mi mente y es cuando abro mi computadora y acceso a mi Blog, *Mi tabla de salvación,* y comienzo a escribir para relajarme un poco.

De pronto el pensamiento: "¿Y qué tal si mi ex ha cambiado? Quizás reflexionó y me extraña y desea volver, ser el padre de Penélope Sofía y cuidar de nosotras. La gente cambia. Yo he cambiado". Y en medio de mi privada conversación interior, Dios en su amor y sabiduría me interrumpe diciendo: – **Hija mía, solo espera un poco más, no lo hagas hoy, espera a la mañana.** - Su respuesta tan dulce me derrite el corazón. – Hoy no, hoy ven, recuéstate en mi pecho y descansa en mí y verás que mañana va ser un mejor día. Hija, solo por hoy, no mires atrás. Hoy estás cansada y debes descansar. Sus dulces palabras, como un padre, confortan mi alma y me dan esperanza. En sus brazos me quedo dormida llorando, sintiéndome sola, pero sabiendo que soy amada.

Me levanté cargada de energía para comenzar el día y me fui al punto de encuentro. Esta vez vamos un grupo grande. Me dijo Luis que hay 30 personas inscritas en el tour para salir a hacer paddle board. Sandra y Luis y van a ser los que dirijan el grupo, y yo soy una de las 30 personas que los seguirá a través del paseo. Es emocionante cada experiencia; siempre aprendo algo, siempre tengo una nueva vivencia.

Nos reunimos para una explicación de parte de Luis de lo que debían estar haciendo, los retos que enfrentaríamos y algunas técnicas. Todos los que vinieron a este tour debían ya tener experiencia previa. Pero esta vez él hizo algo diferente: le pidió a cada uno de los asistentes, muchos de ellos sus estudiantes privados, que contaran el mayor reto que habían confrontado mientras hacían paddle board, y cómo lo habían resuelto. Cada uno se levantó y contó diferentes experiencias, todas interesantes, muchas muy divertidas, y otras un poco intimidantes. Yo no tenía idea de qué iba a compartir. Cuando tocó mi turno, me di cuenta de que era la última en compartir. Me levanté como los demás, y comencé a decir lo único que estaba mi corazón y que Dios me había mostrado mientras esperaba. No sabía cómo iba a ser tomado. Nunca había compartido mi fe abiertamente ante un grupo de personas. Creo que tampoco lo había hecho de persona a persona. Mi relación con Dios era completamente privada y no me sentía cómoda de compartirla hablando; lo podía hacer por escrito. Pero en fin que me paré y esto fue lo que dije:

-Debo confesarles que el reto más grande que experimenté haciendo paddle board fue en mi primera experiencia. Estaba en Aruba y fue donde conocí a Luis. Sucedió que sin darme cuenta me alejé y terminé en el mar abierto, en donde pasaban botes y todo tipo de jetskis. Yo no sé nadar y lo único que vino a mi mente fue seguir una instrucción que me dio Luis: - Si la situación se pone difícil, ponte de rodillas y hunde el remo profundo para que puedas avanzar en la dirección que deseas. - Pero la dirección que Luis me dio, tengo que confesarles, que vino acompañada de una sutil voz en mi corazón que comenzó a darme indicaciones específicas de lo que estaba haciendo. Era la voz de Dios que me decía: "Cuando las cosas se vayan a poner difíciles, el mejor lugar en el que puedes estar es en tus rodillas. Ese es siempre el lugar más seguro; si te caes que sea sobre tus rodillas. Tus rodillas te garantizan no caer a la profundidad del mar". Esa voz continuó diciéndome: "Una vez estés de rodillas entra profundo conmigo, métete profundo en mis escrituras, irrumpe sedienta en la profundidad de mi presencia y verás cómo avanzarás a salir a un lugar seguro en tu vida. La profundidad te ayudará a avanzar en la dirección que deseas".

- Esas palabras marcaron mi destino. Desde ese momento la voz de Dios ha sido la que me ha guiado en cada reto en mi vida. Y yo quiero invitarte a que si te vas a dar la oportunidad de salir a las aguas a intentar caminar sobre el mar en una tabla, no pierdas el tiempo en bobadas; habla con Dios. Él se manifiesta de diferentes maneras a nuestras vidas y te garantizo que si escuchas su voz y haces lo que Él te dice, todo en tu vida irá bien.

-Yo soy un testimonio de que en cada una de mis experiencias sobre esa tabla el Señor me ha hablado. Y soy un testimonio vivo de que Dios le ha dado un giro a mi vida que nunca esperé experimentar antes de Él. Luis es testigo.

Camino con Dios agarrada de la mano y me voy sobre mis rodillas a pelear cada una de mis batallas. Invado la profundidad de su presencia para encontrar refugio y poder avanzar. -

En ese punto mi garganta estaba seca y comencé a toser, mis labios estaban tan secos que apenas los podía mover. No sabía qué le pasaba a mi cuerpo, pero un temblor no me dejaba continuar. Era la segunda vez que sentía un temblor como aquel y miraba intimidada a los que me escuchaban sin poder resistir el miedo que tenía en mi corazón por lo que acababa de hacer. Nunca había expuesto mi corazón de esa manera. Me sentía vulnerable, desnuda.

La profundidad te ayudará a
avanzar en la dirección que deseas.

Miré a Luis buscando ayuda, y su sonrisa en su rostro fue seguida del sonido de unos aplausos. Él se puso de pie y todos le siguieron. Jamás esperé una reacción como aquella. Sin darme cuenta, yo les testifiqué mi fe. El Espíritu Santo vino sobre mí y tomó control de mis palabras. Eso me gustó, yo no anticipaba ese momento. Fue un momento de mucha emoción. Me sentí privilegiada.

Nos fuimos al agua con nuestras tablas y comencé a remar, pero mi corazón estaba sobresaltado. Tenía tanta emoción que no podía contener el llanto. Y de pronto una vez más comencé a tener una experiencia de esas que no sé decirte si pasan aquí en la tierra, o Dios me lleva al cielo. Pero esta era más que una visión en pantalla; se sentía tridimensional. Estaba experimentando una realidad diferente y coexistente a la que estaba viviendo en lo físico.

Yo avanzaba en mi tabla cuando de pronto comencé a sentir como si el cielo se comenzara a abrir. Un efecto de "sunroof"[11] es como mejor lo puedo describir. Comencé a mirar a otro cielo, y en ese otro cielo se veía una celebración. Podía ver los pies de la gente saltando y danzando. Había algo como confeti, una gran celebración. De pronto ellos comenzaron a darme entrada a esta fiesta y yo no sabría decir cómo, pero comencé a tener la sensación de estar moviéndome hacia arriba, hacia ese cielo. Yo seguía físicamente en mi tabla en el agua, pero a la vez me sentía en ese lugar. Sentía los abrazos de cada una de las personas que estaban en ese lugar dándome la bienvenida. Felicitándome. Deseándome lo mejor en este caminar.

No te puedo explicar con mejores palabras, pero era una celebración y fui invitada. Yo no entendía bien de lo que se trataba. De pronto me vi caminando como en una pasarela. Me detuve y vi a mucha gente emocionada. Alguien puso sobre mí un sello, otra persona vino sobre mí y me entregó flores, y una tercera persona se me acercó y colocó sobre mi cabeza una corona. Fui coronada. No entendía nada. Yo seguía parada sobre mi tabla, pero la sensación de realismo era tanta que tuve que tocar mi cabeza para confirmar. Era

[11] Techo solar de un auto.

tan real la sensación de que alguien colocó sobre mí una corona que tenía miedo de que mientras continuaba se me cayera. Trataba de balancearme y moverme con delicadeza; no quería que nada hiciera que la corona se me cayera al agua.

Yo me sentí en ese momento Miss Universo, y disculpa la cursilería o falta de humildad; te revelo mi más íntima sensación de ese día. No te puedo explicar y puede sonar bien ridícula mi visión. Pero te prometo que así la viví. Lo que yo sentí en ese momento fue que me dieron la bienvenida a un reino y en este reino todos tenían coronas. Que el Señor me seleccionó y me hizo oficialmente su princesa. Que delante de todo su reino me presentó como princesa, hija suya. Y todos me festejaban dándome la bienvenida a este hermoso nuevo lugar. Esa fue la experiencia de paddle board más diferente de mi vida. Todo el tiempo me mantuve derecha, cual princesa cuidando su corona. Yo no sabía si la gente veía o no veía mi corona, pero yo estaba segura de que en mi cabeza había una, tanto que me acerqué a Sandra y le pregunté: - Sandra ¿tú ves algo sobre mi cabeza? -Ella me miró extrañada, apuntó sus ojos hacia mi cabeza y me dijo: -No, mi princesa bella, no veo nada sobre tu cabeza. Estás perfecta. - Ella no sabe que con sus palabras, al decirme princesa, me dio más cuerda; confirmaba lo que acababa de suceder.

Bienaventurado el hombre que persevera bajo la prueba, porque una vez que ha sido aprobado, recibirá la corona de la vida que el Señor ha prometido a los que le aman. (Santiago 1:12, LBLA)

Los tiempos del desierto y de la soledad son esos momentos que Dios usa más para mostrarnos sus planes sobre nuestras vidas y la forma en que nos mira.

1. Aprendí que si cuando estás esperando piensas en volver atrás, solo tienes que detenerte, descansar en sus brazos y esperar un poco más. La tentación pasará si no actúas en ella.
2. Entendí que no necesito hacer un acto de gran ejecutoria delante de la presencia de Dios cada día. Solo con venir a sus brazos es suficiente para expresar que le amo.
3. Descubrí el poder de nuestro testimonio. Cuando el Espíritu Santo habla a través de nosotros en tiempo y fuera de tiempo grandes cosas pasan. No nos avergonzamos del evangelio porque es poder de Dios.
4. Recibí la corona de la vida. Sin saberlo, pasé una prueba y recibí la corona de la vida. Hoy sé que soy parte de un nuevo reino.

Si esto ha tocado tu corazón y tu vida, te invito a que ores conmigo para que su Espíritu Santo te muestre las profundidades de su amor y que Él haga en ti grandes cosas. Comparte este mensaje en tus redes sociales y usa el #mitabladesalvacion - Sigamos conectados.

Brazo *profético*

"Ha hecho proezas con su brazo; ha esparcido a los soberbios en el pensamiento de sus corazones".
(Lucas 1:51, LBLA)

He disfrutado esta jornada profundamente. La Pamela de hoy en nada de asemeja a la que era. Están por cumplirse 5 años desde que esta aventura comenzó en Aruba y he podido madurar en el amor de Cristo profundamente. Veo con mucha tristeza las tasas de suicidio, y quiero escribir en mi blog sobre eso porque ya estoy lista para hacerlo.

Tengo que confesar que los pensamientos de suicidio eran algo que me habían estado acompañando desde mi niñez. No puedo recordar en qué momento comenzaron, pero creo que fue cerca de la fecha en que Coco murió. Seriamente cruzó por mi cabeza la idea de buscar una manera de dejar de existir en este plano terrenal e irme al cielo, según lo que entendía yo que iba a pasar dentro de mi humilde descripción como niña. Recuerdo que tomé un papel de estas libretas amarillas que todo el mundo tiene en sus casas y comencé a escribirle una carta a Dios. En esa carta le pedía que, por favor, me aceptara en el cielo, que me recibiera, porque de alguna manera yo iba a terminar con mi vida.

Comencé a analizar que las pastillas azules con las que se mata a los ratones podían ser muy efectivas para mi pasaje al cielo. En mi carta le decía al Señor que yo no lo conocía, pero que había escuchado a Coco mencionarlo cuando se fue el cielo; que a mí también me recibiera. Al terminar de escribir estas sinceras líneas, empecé a sentir una voz en mi interior que me hablaba con gran cariño y que me decía cosas que me traían paz. Se hizo tan fuerte esa voz en mi interior, y sin pensarlo mucho comencé a escribir lo que esa voz me decía. Y esas palabras eran: -Hija, no morirás, sino que vivirás para contar tu testimonio. Por cuanto, desde este día, Yo seré tu padre y tú serás mi hija. No temas porque esta leve tribulación pasará. Cuidaré de ti todos los días de mi vida, como lo hace un padre con su hija. Te llevaré a lugares que no imaginas y ayudarás al huérfano y al necesitado, al abandonado y a la viuda, y al menesteroso y al quebrantado. -

Al terminar de escribir las palabras que fluían de mi corazón sentí tanta paz que me quedé dormida abrazada a aquel papel. Esta experiencia marcó mi vida. Sabía que aunque no lo entendía todo, había un ser superior que tenía la capacidad de hablarme y yo podía escucharlo, y tenía la capacidad de cuidarme en situaciones que yo desconocía. Pero esa experiencia no quedó ahí, fue solo la primera.

Hubo otra que me marcó a un nivel mucho más profundo. La carta. Una carta de 6 páginas que conservo con un valor muy profundo. Me la llevé a Aruba y la leo casi a diario.

Fue el día que decidí sacar mi pasaje hacia Aruba, hace ya casi 5 años. Venía conduciendo desde mi trabajo y tenía una gran aflicción, un dolor fuerte en mi corazón. Una vez más mi relación había terminado en fracaso. Una vez más cometí un error, una vez más modelé un mal ejemplo a mi hija. ¿Qué voy hacer con mi vida?, me preguntaba angustiada.

- Pamela, tomas decisiones incorrectas constantemente, te equivocas en todo lo que haces y verdaderamente si tu mamá fue capaz de criarte a ti sola sin ayuda de nadie, también de seguro será capaz de hacer un mejor trabajo con tu hija, Penélope Sofía. ¿Por qué no te sales del medio? ¿Por qué no te quitas la vida? No seas un estorbo para tu hija, ella va a estar mejor en manos de tu madre. Es mejor que tenga un buen recuerdo de quién fuiste, a continuar avergonzándola todos los días de su vida.-

Estos eran los pensamientos que atravesaban mi mente. Una angustia se apoderaba de mí porque mientras los escuchaba los recibía como míos. Hoy sé que aquella voz era la del enemigo, pero no lo sabía aquel día.

Cada pensamiento me empujaba a un abismo, pero de pronto esa otra voz, esa otra voz que había escuchado, volvía a mí. Esa voz que se convertiría en mi tabla de salvación. Esa voz me rescataría. Y esa voz me habló con voz fuerte esta vez, y me decía: - Basta, basta, basta ya, hija mía. ¿Es que acaso no ves cuánto te he cuidado? ¿Acaso no te das cuenta de que por ti he dado mi vida? ¿No has notado que he cuidado de ti de noche y de día; que cuido de tu hija, de tu madre y de tu familia? ¿Es que no te das cuenta de que si estás aquí es por cuenta mía? -

Era curioso porque esta voz no solamente me hablaba de manera regular. Esa voz tenía como una sinfonía. De una manera que no puedo describir, su voz parecía una rima. Las oraciones entre sí rimaban. Y nada de lo que escuchaba de mi interior venía, es decir, no era producto de mi mente. Yo no pensaba de la manera en que esta voz me hablaba. Yo no era capaz de rimar como esta voz lo hacía. Cada frase era una sinfonía.

No podía esperar llegar a casa. Tenía una urgencia de ir a escribir cada cosa que esta voz me decía. Conduje con más ahínco que nunca para llegar a mi casa, abrir mi computadora y comenzar a tomar dictado. Eso era lo que sentía. Comencé a escribir al dictado de la voz cada palabra que de mi interior provenía. Llené seis páginas de una profunda conversación íntima entre mi Padre Celestial y yo. Nunca había tenido una experiencia como esa. Él me reclamaba diciendo: - Detente de tus malos pensamientos, haz una pausa en tu mal camino, pon tu mirada en mí. -

Era un clamor de un Padre en dolor; sentía que con fuerte voz me decía: - Haz lo que tengas que hacer, hija mía, pero por un momento detén tu vida. -

Él me reclamaba, pero con amor me recordaba cuánto Él había hecho por mí. Lo más increíble era que nunca en mi vida había leído la Biblia, y versos bíblicos que no conocía comenzaron a fluir y yo escribía. Esto no provenía de mí, era imposible. Esto de Dios provenía. Seis páginas marcaron mi vida. Seis páginas me atrajeron hacia Él, hacia el Mesías. Me dijo tanto, me dijo todo. Me habló de mis dones y de mi propósito. Me habló de lo profético, que yo no entendía. Me habló de promesas escondidas en la Biblia. Me habló de un futuro y una esperanza, me habló de una segunda venida. Me habló de su Hijo y su sacrificio, y me habló de su amor derramado en una cruz por mí.

Me hizo prometer cerrar la puerta a quitarme la vida. Me hizo entender que Él tenía un plan y que era momento de moverme del lugar del conductor, hacia el lugar de pasajera. Que era momento de darle las llaves de mi vida a Él. Que era momento de descansar y de esperar en el poder de su salvación y de su redención. Terminé exhausta de escribir aquella carta. Eran seis páginas dictadas por Dios que marcaron mi vida hasta hoy.

Fue tanto y significó tanto, que al terminarla decidí que necesitaba un tiempo para reflexionar sobre lo que había pasado. Necesitaba entender y conocer a ese Dios que me hablaba. Tomé la carta y la llevé a mi psicóloga Lisa. Ella era también pastora asociada en la iglesia a la cual asistía y conocía bien la Palabra. Al leerla lloró y me dijo: - No hay duda de que esta carta fue dictada por Dios. Me consta que tú no conoces lo que has escrito. Y me consta que las cartas de amor de nuestro Padre son poemas de amor y muchas veces riman. Amada, tú necesitas tiempo para procesar todo lo que aquí dice. ¿Por qué no te tomas unos días y te vas sola a meditar? ¿Qué tal Aruba? ¿Has estado allí? Es un lugar tranquilo, hermoso y lleno de naturaleza. No sé, puede ser cualquier otro sitio, ese fue el primero que vino a mi mente. Toma un tiempo para meditar en lo que Dios está hablando a tu vida porque definitivamente hay algo más aquí. Hay un propósito con la escritura. -

Sus palabras fueron confirmación de lo que había sentido, y en ese momento y sin lugar a dudas llegué a mi casa, saqué el pasaje y decidí irme a Aruba.

Si este tema toca tu corazón y quieres salvar una vida, compártelo en tus redes y usa el #mitabladesalvacion y #Tuvidavalemucho #NOalsuicidio
Toda la gloria sea para Dios, Señor de mi vida.

Confieso que estar contando hoy este testimonio en mi blog es un ejercicio de estiramiento y de humildad. Reconocer mis pasados pensamientos de suicidio no es algo que hago todos los días. Miro hacia atrás y me hago responsable de tener esos pensamientos en mi mente, de haber considerado abandonar a mi mamá cuando más me necesitaba, y de haber considerado abandonar a mi pobre hija que de nada de esto tiene culpa. Pero he sentido que compartirlo tiene un propósito porque si puede salvar la vida de alguien más, ha merecido la pena.

Tengo en este momento un deseo, una frase en mi interior que revolotea en mí de manera indescriptible. Siento que necesito escribir... No, debo refrasear, escucho su voz fuerte en mi interior diciendo: - Mi hija, si no te avergüenzas de mí y de mi poder, dame la gloria. Dios sabe que batallo con decir frases o escribir frases que suenen a lo que yo llamo "cristianis". Y esa es quizás una de ellas. Batallé en mi interior por un momento con lo que estoy sintiendo, pero sin poderme contener cerré mi blog diciendo:

Toda la gloria sea para Dios, Señor de mi vida.

Al escribir esa frase un calor vino sobre mí y una presencia indescriptible me abrazó. No sé cuánto eso significó para mi Señor, pero me da la impresión de que algo se rompió. Algo se rompió en mi interior y algo se rompió en el cielo; algo definitivamente se rompió. La presencia que está sobre mí en este momento no la puedo describir. Las lágrimas corren por mis mejillas porque siento que el blog del día de hoy hizo algo especial en el cielo y no lo logro entender, pero lo logro sentir. Creo que es el comienzo de algo. Tengo la anticipación de que algo va a pasar.

En ese momento miré el reloj y digo: "Wao, Sandra y Luis me están esperando para ir a hacer paddle board. Hoy tenemos una cita en la playa y ya es la hora en que yo debería estar en el lugar de encuentro. Estoy a una hora de distancia".

Me apresuro a recoger mis cosas para montarlas a mi pickup RAM azul altísima. La gente me ve y no pueden creer que ese camión sea mío. A veces es difícil manejar los pequeños detalles de tener un camión. Las puertas son pesadas, es alta y yo soy de mediana estatura. Traía mi cartera en mano, mi iPad y mi cámara en un lado de mi costado, y en el otro tenía mi tabla. Caminé para meterla en la parte trasera del camión y obviamente la tabla pesaba, así que estaba haciendo un esfuerzo mayor para montarla. Típicamente tengo ayuda.

Pongo la tabla en el piso, abro la caja trasera del camión, y levanto la tabla para colocarla en el camión utilizando toda mi fuerza para montarla, cuando indescriptiblemente sentí como si se resbalara de mis manos. Trataré de explicarlo. ¿Sabes cuando haces una fuerza mayor para levantar algo muy pesado, pero al levantarlo te das cuenta de que está vacío, por tanto no pesa nada y sientes como que se te va de las manos?

Algo como eso fue la sensación que te puedo describir. Levanté la tabla y se hizo tan liviana que me sorprendí. Tuve que mirar para saber lo que pasaba y en el momento en que miré vi un brazo que por el otro lado la sostenía; era el brazo de un hombre. Lo sé porque tenía vellos, era masculino. Me asusté, mi corazón palpitó fuerte porque lo primero que pensé fue que alguien había venido a asaltarme, que alguien me iba a atacar. Había un desconocido al lado mío y no había ningún varón en mi casa. Miré hacia todas partes buscando dónde está el hombre del brazo y no veo a nadie, ya la tabla estaba adentro de mi camioneta. Ese brazo y yo la pusimos adentro, pero no veo el dueño de ese brazo.

Di dos vueltas en el mismo lugar buscando de donde salió el brazo y no lo vi. Nadie me puede negar lo que mis ojos han visto. Al dar la vuelta, una vuelta de 360°, y darme cuenta de que no había nadie, comencé a sentir la presencia del Espíritu Santo. Comencé a sentir que algo sobrenatural acababa de pasar. Comencé a darme cuenta de que tuve una breve visitación. Pero, ¿será posible que yo haya visto el brazo de Dios? ¿Es que es posible que Jesús haya estado aquí por un segundo? ¿Es que es posible que su Espíritu Santo tomara forma de un brazo por un momento y me hiciera ver que él realmente es mi ayudador? ¿Es que es posible? Yo no soy digna de recibir tal experiencia. El llanto me sobrecogió de tal manera que no era capaz de incorporarme. Ese temblor nuevamente se apoderó de mí, comencé a hablar en lenguas que no conozco, y sentía que un fuego indescriptible corría por todo mi cuerpo y no podía parar de repetir: "Él vive, Él vive, mi Redentor vive, Jesús vive!" Es que no soy digna, lloraba, es que no merezco, es que soy tan poca cosa, Señor. Es que no merezco nada de ti, es que mis manos están sucias, mi cuerpo está sucio, es que no merezco, Señor, no soy digna. ¿Cómo me has dado un momento como este? Quizás es difícil de creer lo que cuento, pero yo sé lo que vi, yo vi lo que vi, yo sé lo que sentí, pero nadie lo va a entender. Me dirán que estoy loca, que me lo imaginé. Me dirán lo que quieran, pero yo sé que un día voy a ir al cielo, voy a correr histérica a los brazos de mi Padre, y le he de preguntar: "¿Era ese tu brazo? Dime, ¿dejaste ver a esta menesterosa tu brazo? Dímelo, necesito saberlo. Nadie me va a responder esa pregunta; solo tú, Jesús. Un día te preguntaré y tú me responderás, si me lo imaginé o si tú permitiste a esta humilde madre soltera haber visto tu brazo".

"Y con él estará siempre mi mano; mi brazo también lo fortalecerá". (Salmo 89:21, LBLA)

"Las grandes pruebas que tus ojos vieron, las señales y maravillas, y la mano poderosa y el brazo extendido con el cual el SEÑOR tu Dios te sacó. Así el SEÑOR tu Dios hará con todos los pueblos a los cuales temes".
(Deuteronomio 7:19, LBLA)

¿Es el *final* o el *principio*?

"Que anuncio lo por venir desde el principio,
y desde la antigüedad lo que aún no era hecho;
que digo: Mi consejo permanecerá,
y haré todo lo que quiero". (Isaías 46:10)

Hoy se cumplen cinco años desde ese momento en el que me monté en un avión para ir a Aruba y una nueva historia en mi vida comenzó. Ese momento en el que el impacto de la presencia de Dios fue tan grande que no pude volver a ser la persona que antes fui. Aquí me encuentro con mis pies sobre la maleta, descalza, mis sandalias en el suelo del aeropuerto. Me encanta viajar cómoda, ¡quisiera atreverme a viajar en pijamas! Voy de camino a un encuentro del cual no sé qué esperar. Tengo mi iPad en mi falda y no puedo perder esta oportunidad para empezar a escribir sobre lo que estoy sintiendo, y sobre lo que voy a vivir. La Pamela que regresa a Aruba no es la misma que fue hace cinco años. Aquella chica no tenía un pasatiempo, ni tantos amigos. Ahora convivo diariamente con mis entrenadores de paddle board y de vida. ¿Quién lo diría?

Hace 5 años dejé a mi niña de 10 años en casa con mi mamá. Hoy dejé a una señorita de 15 que me llena de orgullo. Y hoy regreso enamorada. Hace cinco años vine a Aruba rota en 1,000 pedazos, divorciada y avergonzada, destruida y sin ninguna esperanza. Me fui buscando un escape, un descanso, y una explicación. Venía con aquella carta de 6 páginas llena de ilusión. Esta vez regreso porque he visto el brazo de Dios obrar en mi vida, porque he sido coronada con sus misericordias y porque me he enamorado profundamente de su Espíritu Santo y de su presencia en mi vida.

Siento que en este viaje no voy sola, vengo con mi amigo Jesús. Es como si fuera nuestra luna de miel. Es más, imaginaré que me voy de luna de miel con mi amado. Que pasaremos unos días espectaculares en Aruba. Dios ha restaurado mi vida, ha cambiado mi lamento en baile y me ha hecho una nueva persona. Pensaba que para esta fecha ya habría encontrado el amor de un hombre, me di un año y han pasado cinco... Y lo que encontré fue el amor real. He logrado enamorarme de Dios. Me siento completa, llena, plena, feliz, me siento capaz. La vida que se presenta delante de mí me llena de expectativas. Me voy porque quiero hacer un espacio para meditar y prepararme para lo que viene. Quiero hacer un convenio con Dios sobre los próximos años de mi vida.

Ya estoy en la habitación del hotel en el mismo lugar pictórico en el que me quedé hace cinco años. Tantos recuerdos vienen a mi mente: un breve aire de nostalgia por lo que fui y por lo que ya no soy. Incluso siento extrañar a Sandra y a Luis porque aquí los conocí. Jamás imaginé que en unas vacaciones temporales iba a encontrar tantas cosas permanentes para mí. Sandra y Luisito son esos mentores que necesitaba en mi vida. El paddle board ha sido más que un entretenimiento; ha sido una excusa que Dios ha utilizado para hablar a mi corazón más claro que nunca. Y el tiempo ha sido sanador. Pero sobre todo, lo que me ha ayudado es su Santo Espíritu, mi consejero. No puedo esperar a montarme sobre la tabla y comenzar mi aventura aquí en Aruba. ¿Qué podría aprender en estos días? ¿Qué nuevas experiencias me llevaré? Estoy lista para vivir. Estoy lista para comenzar de nuevo.

Es sábado en la mañana y he pasado una noche maravillosa. Descansé y estoy más despierta que nunca, lista para volver al lugar donde todo comenzó. Caminando por la playa medité en cuántas personas hay aquí que quizás están donde yo estaba. ¿Será posible que Dios me ha traído de vuelta aquí para poder ir y tocar las vidas de otras personas, y contar lo que Dios ha hecho en mi vida? ¿Estaré lista para ayudar a otros? - Dios, úsame, dime, ¿qué debo hacer?, ¿qué debo decir? En ese momento su voz fue tan real.

Como sosteniendo una conversación con mi mejor amigo, su respuesta llegó inmediata. - Hija, hay tiempo para todo y habrá tiempo para hablar. Yo te he traído aquí a escuchar. Yo te he traído aquí para entregarte aquello que aún te falta. Has logrado tanto, has avanzado mucho. Pero el temor es, sin lugar a duda, un impedimento para crecer. -¿Temor? Pero he sido valiente como para llegar sola a este lugar, he tomado un avión y me he aventurado a hacer tantas cosas. Siempre me he sentido segura y valiente. - ¿Por qué temes ser abandonada, hija? ¿Por qué sigues temiendo al rechazo? ¿Por qué te limitas en tus expectativas? ¿Por qué temes esperar lo mejor? Cada una de estas preguntas fue como un puñal a mi corazón. Pero fue un dolor diferente. Fue un dolor similar a ese que sientes cuando van a sacar de tu piel un objeto punzante, y es necesario cortar un poco la piel para que el pedazo de cristal salga y desocupe un lugar que no le pertenece. Fue ese dolor de impacto que provoca que la sangre salga a borbotones, pero sabes que el alivio está cerca.

Tuve que sentarme ahí en la arena, por donde caminaba; tuve que tomar aliento y contener mis lágrimas fue imposible. Cada una de esas preguntas tenía una raíz en mi corazón. Fueron cuatro preguntas las que me hizo y tuve que responder: - Sí, tengo temor. Tengo temor de que algo bueno vaya a pasarme y después sea rechazada. Temo no ser suficiente. He tratado de sobreponerme de 1,000 maneras, pero este temor interior me dice 'no hay nada bueno para ti'. Incluso, confieso que temo tener una muerte prematura como la de mi padre, y quizás esa era la razón por la cual el suicidio de continuo aparecía en mi cabeza. Prefería irme a ser sacada. Hasta qué punto era esclava del temor, no lo sabía.

Necesité sentarme unas horas sobre la arena, y me sorprendía ver que había tanto todavía con lo que trabajar en mí. Y me preguntaba: Señor, ¿cuándo vas a terminar conmigo? ¿Cuánto más falta? Sentí la voz del Señor responderme: - Te falta mucho, hija mía, te queda una vida. - Seguido de eso, una instrucción. - Atrévete a enfrentar todos tus temores. -

En ese momento entendí que era tiempo de buscar rentar una tabla y lanzarme a la aventura. No tuve que buscar mucho. Al mirar a mi lado vi un muchacho americano con un estilo "Rastafari", pero ojos azules y pelo rubio, piel tostada del sol y su cabello en trenzas. Una combinación única. Lo veía ir y venir entregando tablas para surfear, jetskis y paddle boards. Me le acerqué y le pregunté: "Excuse me, are you the person in charge of renting?" Evidentemente era americano, ni siquiera iba a intentar hablar en español. - Yes ma'am, this is me. I'm Billy. How can I help you?-[12] Comencé a preguntarle sobre los precios y los mejores lugares para practicar paddle board.

---

[12] Traducido a: "Disculpe, ¿usted es la persona a cargo de alquiler?...Sí, señora, soy yo. Soy Billy. ¿Cómo le puedo ayudar?".

Él parece haber percibido que tenía experiencia previa y se sintió en confianza de hacerme un reto. - Listen, why you don't go to the west side of the island? We have good waves there and I have a dude that is training people for surfing paddle board...-[13] Mis ojos se abrieron grandes y todos los temores afloraron a mi piel. Y en ese momento recordé: "Es hora de vencer todos mis temores". Sin pensarlo mucho le dije que sí y seguí sus instrucciones de acercarme al lugar del cual me hablaba. La vista era espectacular en ese lugar. Unas peñas separaban el pasivo balneario de las olas que a mis ojos parecía marejadas. Mi corazón latía fuerte, pero me dije, si Dios conmigo, ¿quién contra mí? Voy a hacerlo. Me acerqué al entrenador, le conté de la experiencia que tenía y me dijo que entrara al agua. - Quiero verte un ratito y en una hora, cuando comience el otro grupo, te entreno. -

Eso me dio paz. Iba a tener tiempo de irme relacionando con el poder de las olas, y en una hora podía decidir si eso era o no era para mí. Tomé mi tabla y determinada me lancé al agua. Pareciera que un ejército me expulsaba. Usaba todas mis fuerzas por tan solo acostarme en la tabla y era imposible mantenerme. Las olas me arrastraban y me devolvían a la arena. Intentaba e intentaba, pero la fuerza del mar me rebasaba. Comencé a intentar irme por debajo de las olas buscando llegar a algún punto en donde las olas no rompieran tan fuertes y yo pudiese al menos estar sobre mi

---

[13] "Oiga, ¿por qué no va a la parte occidental de la isla? Tenemos buenas olas allí y tengo a un chico enseñando a la gente a surfear con el paddle board".

tabla. Sabía que si al menos lograba estar en mis rodillas sobre la tabla, las olas no me tumbarían de ese lugar. Intenté infructuosamente. Después de mucho intentarlo finalmente lo logré.

Estaba sobre mis rodillas en el agua. Aquí viene una ola grande; voy a permanecer en mis rodillas y ni siquiera intentaré pararme. Me sostendré fuerte de la tabla y pasaré esta meta sin temer. La ola vino, me levantó, tal vez cinco pies de altura sobre el nivel del mar, pasó la ola y pude permanecer. Mientras festejaba la ola que acababa de pasar, la próxima se acercaba más grande aún. Me arrastró y me hizo tragar agua y arena hasta la saciedad. De vuelta a la orilla. Comencé a pensar: "Bueno, creo que esto no es para mí. Quizás yo me equivoqué al pensar que escuchaba la voz de Dios; quizás todo este tiempo me estaba equivocando. Quizás todo esto es un drama que yo me creí en mi cabeza, y definitivamente yo no soy para esto. Quizás si voy al gimnasio, hago pesas por un tiempo, corro y aprendo a nadar..."

Estaba frustrada, atemorizada y decidida a ni siquiera intentarlo, cuando el joven que estaba entrenando se me acercó y me preguntó si estaba lista. -¿Que si estoy lista? Estoy lista para irme-, respondí. Él comenzó a reírse y me dijo:- No pasa nada, no eres la primera y no vas a ser la última. Confronta el temor, eso es todo. Sus palabras fueron como otra punzada en mi corazón. Pero es que Dios usa hasta los burros, nada personal contra el chico, pero, ¿cómo es posible que me diga lo mismo que Dios estaba diciéndome a mi oído? Me levanté y dije: "Ahora tengo más miedo que al principio. Por eso tengo que hacerlo".

Comencé a seguirlo. Al fin no estaría sola y había otros cinco locos conmigo. No te puedo contar cuán maravillosa experiencia he vivido hoy. ¿Que si me caí? Cientos de veces, perdí la cuenta. ¿Que si me asusté? Pensé que sería el último día de mi vida en cada ola. Pregunté: ¿a quién se le ocurre la idea tonta esta? Pensé en mi hija y en su sabiduría y mi falta de ella; pensé en mi madre, en sus consejos. A mi madre ni siquiera le parecería gracioso. Pero a pesar de todo, pasé un gran día. No sé si volvería a intentarlo, pero definitivamente algo salió de mí. Un temor que me vencía y me detenía ya no estaba. Saber que lo pude hacer me hizo ver cuán fuerte soy y que no importa cuán difíciles se volvieran las circunstancias, lo superaría. Sentí por primera vez una seguridad de que sobreviviría. Eso era nuevo en mí. Me sentía tan plena. Tan feliz. El atardecer en ese lugar era hermoso y quería verlo desde el agua. Nada nuevo ni complicado. Solo quería acostarme sobre la tabla y pensar.

Me fui sobre mi tabla una vez más y me acerqué a un área que no tenía olas. Lucía pasiva y tenía una hermosa vista al lado este de la peña. Comencé a hacer paddle board disfrutando cada metro de aquel hermoso mar. Me sentí tan plena y en tanta confianza que no tuve temor en entrar a la profundidad. Fue la primera vez que me alejé tanto de la costa. Pero tenía paz. Veía la inmensidad del mar, pero tan pasiva. Tan serena. La comparé con la majestad de Dios. Grande, imponente, sublime, serena. Impresionante, intimidante, pero una presencia que enamora. Me encontraba a millas de la costa. Quizás 30 pies de profundidad. Quizás más. Pero la paz que sobrepasa todo entendimiento me arropaba de tal manera que no me lo puedo explicar.

Me senté sobre mi tabla para poder disfrutar el atardecer desde allí. No pretendía regresar a la orilla de noche, pero sí quería comenzar a ver la puesta del sol desde aquel hermoso lugar. El sol bajaba, y me hacía pensar en cuántas temporadas tenemos que pasar. Cada vez que el sol se oculta, nos da una nueva oportunidad de reflexionar. Cada día es una gran oportunidad. Me acosté en la tabla mientras reflexionaba y me permitía disfrutar los colores naranja, amarillo, azul y rosado del cielo. Un espectáculo de luces.

Decidí desabrochar el "leash" de mi tobillo, porque al final del día ni había olas y realmente estaba acostada. Creo que fue un error inoportuno de mi parte. Habían pasado los minutos y aquella paz celestial era tal, que no sabía si estaba en el cielo o en la tierra. Podía disfrutar de cada respirar; tenía tanta paz.

De repente sentí una pequeña ola, algo se comenzó a levantar... Mi tabla estaba elevándose, parecía tendida en el aire. No tardé mucho en darme cuenta de que aquello no era una ola, sino un animal. Debajo de mi tabla estaba pasando el animal más grande que haya yo visto en mi vida. Era una enorme ballena. Mi corazón se aceleró, los nervios se me descontrolaron y no sabía qué hacer. Intenté rápidamente agarrar mi remo y mi "leash", pero fue inútil.

Todo se cayó al mar. De un momento a otro no logré balancearme más y caí. En la impetuosa caída al agua, logré alcanzar una velocidad imparable hacia las profundidades del mar. Usé todas mis fuerzas para tratar de parar, pero era imposible. Sentía que el mar me tragaba y yo a su vez me tragaba el mar.

No sé cuánto duró el descenso, pero fueron los segundos más largos de mi vida.

De pronto mi cuerpo comenzó a detenerse de aquel tormentoso descenso. En mi corazón solo podía clamar a Dios, pensar en mi hija, en mi vida y desesperadamente busqué la paz.

Me rendí de pelear por parar y mi cuerpo solo comenzó lentamente a subir. Al ver que era posible, comencé a ayudarme con mis brazos. Trataba de mantener la calma, pero sentía que iba a explotar. Llegué a la superficie perdida, sin saber dónde estaba, y dónde estaba aquel gigante animal.

El terror se había apoderado de mí. No ser buena nadadora es algo que nunca debí aceptar. Traté de calmarme, intenté nadar hacia cualquier lado, pero mi sentido de dirección se perdió. Pensé: “Estoy perdida en el mar, no toco el fondo, no sé cuán profundo está. Nadie me podrá escuchar”.

Estaba en el centro del mar. No sabía dónde estaba mi tabla, ni el remo, nada.

Ya las fuerzas no me daban. Trataba de mantenerme a flote, pero no sabía por cuánto tiempo iba a resistir. La respiración no me ayudaba, estaba nerviosa.

-Voy a morir. - Lloraba y a la vez trataba de calmarme para sobrevivir. - Yo no vine a morir aquí. No puedo creerlo. -

Mis pensamientos eran tantos. Mi dolor era agudo, la desesperanza se apoderó de mí. Yo no era capaz de sobrevivir. Solo clamaba. -Dios, ayúdame. -

Sentí que la oscuridad cayó sobre mí. Pensamientos destructivos comenzaron a fluir. "Soy tan ignorante. ¿Cómo pude pensar que algo bueno iba a pasarme? Tenía que haber sabido que las cosas iban a terminar mal. Dios nunca ha estado contigo. Él te metió en este problema. Estabas loca pensando que Él te hablaba y que te ama. ¿Por qué te va a amar Dios?".

Y en medio de mi batalla interior mi voz salía y clamaba: - ¡Dios! ¡Dios! ¡Dios! -

Lloraba desconsolada. No es posible que igual que a mi papá, a mí me vaya a tragar el mar. -No puedes dejarme, Dios, tengo tanto qué hacer, Señor, ayúdame-. Gritaba atormentada. No intentaba que alguien escuchara mi voz, sino que Dios me oyera; que Dios se compadeciera de mí e hiciera un milagro. Pensé en su brazo, quizás lo vi para tener fe. Dios puede venir a rescatarme con su brazo de poder. Clamé al cielo pidiendo por ayuda, por una intervención divina, y cada respirar parecía una eternidad. Me ahogaba. Mis piernas no daban más, mis brazos no me ayudaban.

- Dios, ten misericordia de mí, de mi hija, no lo hagas por mí, no quiero que a ella le pase lo mismo que a mí. - Tenía tanto por hacer, Dios. - Lloraba de dolor. De decepción sobre mí, sobre la vida, sobre Dios. Pero la fe volvía a surgir y me avergonzaba de mi debilidad. Con todo lo que Dios me ha mostrado, no puedo dudar. Si este es mi último día, simplemente lo debo afrontar.

Terminó. La muerte parecía rondarme y era cuestión de tiempo o de una mordida de un animal. No sé qué sería peor. No era así como quería morir. No era este el final que yo quería. No vine a Aruba a morir. Pero, me rendí. No hay nada más que yo pueda hacer. Si no me puedes ayudar, Señor, yo lo entiendo. Por favor, recíbeme hoy en tu reino. Gracias, mi amado Dios, por enseñarme tu infinito amor. Quiero vivir contigo por la eternidad en ese palacio que me mostraste. Tú has sido *mi tabla de salvación*. Llévame en tus brazos y dale consuelo a mi familia.

Estoy segura que esa fue la oración de mi padre ese día que el mar también a él se lo tragó. -Todo está nublado, pero mi corazón está claro. Hoy es el final, y está bien. Supongo que mi asignación de alguna manera fue hecha. Me voy contigo, Padre. Tenemos tanto por conversar. Va a ser hermoso verte, Jesús.-

Esas eran mis palabras de consuelo hacia la nueva temporada que ya había asumido que iba a vivir. Todo continuaba volviéndose oscuro y nublado. Aún había luz del cielo, pero no era capaz de discernir lo que mis ojos veían. Mi mente perdía claridad. Mis ojos perdían visión.

Cuando de pronto comencé a discernir una silueta, algo acercarse a mí. Había una luz y sobre esa luz la silueta de un hombre; era sin duda la silueta de Jesús. Sabía que era Él que venía por mi vida. Un gozo inundó mi corazón, pero sabía que era el momento de mi muerte. Tenía gozo y paz, pero aun sentía dolor. ¿Por qué me voy, Señor? Sabía que al abrir mis ojos estaría en un lugar hermoso y podría abrazar a mi Daddy nuevamente.

La paz aumentó como un bálsamo; se fue el dolor. La silueta de Jesús se hacía cada vez más cercana, como caminando sobre el agua. Recordaba el pasaje cuando Él se acercó a los discípulos caminando sobre el agua y ellos creían que era un fantasma. "Esto fue lo que ellos vieron, wao, qué privilegio", pensaba.

Logro ver su cabellera, su larga hermosa barba. Delgado como lo vi en películas. Estoy viendo venir a Jesús. La paz me sobrecogió en estos últimos momentos. Según él se acercaba, mi corazón desfallecía. Escuché su dulce voz, pero no le entendía: - Vengo per te, resisti a una ragazza carina –. Pensé: "Deben ser lenguas angélicas. ¿Será que ya me morí y estoy en el cielo?". La silueta de Jesús ante mí derretía mi alma. Wow, ¿será esta otra visión de las mías? ¡Qué emoción, estoy viendo a Jesús! ¿Habré comenzado a alucinar?", me preguntaba.

Pero, espera, ¿Jesús viene en una tabla de paddle board? ¿Me estoy volviendo loca?, - "Sono venuto per salvarti, ragazza mia" (traducido al español sería: "He venido a salvarte, niña mía") – Él se hincó sobre sus rodillas y colocando su brazo dentro del agua me tomó por el costado y me subió a su tabla. Yo no tenía fuerza para poder ayudarme a subir. Estaba exhausta, confundida totalmente.

Me sentía desgastada, estaba tosiendo sin parar, había tragado bastante agua. Me faltaba el aire. Una mezcla de emociones me sobrecogió. Él solo me miraba. De rodillas ambos en la tabla solo le escuchaba decir: "Tranquila, estás a salvo", con un fuerte acento que no lograba descifrar.

Un llanto desde lo profundo de mi alma comenzó a salir, y empiezo a darme cuenta de que estoy viva. Mi mente está aún en total confusión. Con mi llanto comienzan a salir gritos. Son gritos de vida, de gratitud, de conmoción.

-¡Me has salvado, Señor! ¡Me salvaste una vez más! ¡Has sacado mi alma del Seol! ¡Tú me salvaste, Dios! ¡Tú me viniste a buscar! - No podía parar de gritar. Nunca antes había experimentado el terror como hoy, y estoy viva porque Dios me salvó. Aun no entiendo lo que sucede ni quién es este señor, pero mi corazón está derramándose delante de la presencia de Dios porque no hay duda: Él me salvó, Dios me salvó.

En medio de mi catarsis de agradecimiento al Señor, miro para observar quién es él. Todavía no sé si él es Dios. Lo miro directo a sus ojos, estoy esperando ver a mi Señor, cuando la voz de Dios como respondiendo me dijo: -Es él. - Y fue tan claro para mí, casi audible, que respondí en alta voz: -¿Él es quién? - Y el hombre al escucharme me dijo: -Oh, soy Donato, poquito español.-

-¿Donato? - pregunté. Él asintió con su cabeza y sonrió. Yo respondí tontamente - Yo creía que eras Jesús -. Al escucharme me sentí tan tonta. Él comenzó a reírse tiernamente, igual que yo. - quanto sono privilegiato -

respondió. Fue un momento tan embarazoso como gracioso. Muy dulce a la vez.

En nuestra barrera de comunicación por el lenguaje nos hicimos entender y él me preguntó si estaba lista para regresar a la orilla. Yo le respondí después de un gran suspiro: -Yo estoy lista para regresar a la vida. - Ambos sonreímos.

Él me pidió que me fuera al frente de la tabla para tener un mejor balance, y comenzó a remar estando de rodillas. La brisa sobre mi cabello me parecía una caricia de Dios. Aun no podía creer que estaba viva. Sonreía sin parar, Dios me devolvió a la vida. Mi vida nunca más iba a ser la misma.

-Es él... ¿Qué me quisiste decir, Dios? - le preguntaba a Dios en mi interior, pero no había respuesta; solo paz. Comencé a entonar una canción que fluía como río desde mi interior: "Llamé, respondiste, y viniste a mi rescate, yo quiero estar donde tú estás"[14]. Donato pareció reconocerla y la entonó conmigo. Una paz que sobrepasa mi entendimiento está sobre mí.

Llegamos a la orilla y él me ayudó a incorporarme. Viéndome débil aun por la horrible travesía me tomó en sus brazos, me llevó a la arena y me colocó sobre una toalla. Mucha gente se acercó. Al parecer me habían visto; algunos vieron lo que sucedió. Dios es tan bueno, que permitió testigos y mandó por mi rescate. ¡Qué bueno es Dios! La gente comienza a aglomerarse y a preguntarme cómo me siento. Yo intento no perder de vista a mi rescatador. Aun

---

[14] "Came to my rescue" de Hillsong United.

pienso que quizás es un ángel y puede desaparecer. Yo necesito saber si ese es Jesús.

Pasan unos minutos, me traen agua, comida y toallas para abrigarme. Me sentía como en la visión del palacio, todos teniendo cuidados conmigo y él ahí, su presencia a unos metros de distancia, en silencio, observando, callado, sonriendo. Como la de Jesús en el palacio. Todo esto me parece tan irreal. Sigo pensando: "¿Será Jesús?".

Como si pudiese imaginar lo que pensaba, se me acerca y me dice en su español-italiano: -Te prometo que soy Donato. - Su nombre, Donato, que significa "dado por Dios", sus ojos de color café muy pequeños y puros. Su mirada refleja paz, serenidad y consuelo. Era humano, no era un ángel, no era Jesús. Era real. Yo parecía una niña observándolo, intentando adivinar. Entre risas, llanto y gratitud. Él me preguntó: - ¿Me permite orar? Yo siento mucha gratitud hacia Dios por permitirme salvar su vida signorina, Gesù ti ha salvato, alleluia, yo necesito adorar. - Y yo, de una vez comencé a llorar. No hay duda, este es tu hijo, Dios. No será Jesús, pero fue dado por ti para salvarme de la muerte.

Ambos nos sumergimos en una oración de gratitud y adoración que duró la total puesta del sol. Cuando abrimos nuestros ojos, todo estaba oscuro y no quedaba nadie en la playa: solo él y yo. Y la voz del Señor otra vez... - Él es. - No hice preguntas.

- io sono italiano - comenzó la conversación. Pero estoy aprendiendo español.

- ¡Toda una ternura! -, pensé yo. No tenía palabras para expresar la emoción que mi corazón sentía.

-Pensé que iba a morir y llegaste tú - dije. Y él respondió: - Yo solo soy un siervo de Dios; era lo que debía hacer. Debía venir de vacaciones a Aruba para salvar a una linda signorina de ahogarse.

-Yo también ando de vacaciones. ¿Dónde vives tú?- pregunté.

-Yo vivo en Miami. - Mi corazón se sobresaltó. Cálmate, Pamela, recupera el control. Mira que has tragado mucha agua y estás aturdida. Quizás todo esto es una visión. - Esa era la conversación en mi interior.

Donato tiene una dulzura muy especial, su trato es suave, como el de Jesús. Vive en Miami; esto es mucho para mi auto-control. Me sentía nerviosa. Conversamos largas horas y lo que me dijo me sorprendió. Donato es viudo con dos hijas de 15 y 14 años. Después de la muerte de su esposa se mudó a Miami para comenzar una nueva vida. Me contó que vino a Aruba porque sentía que necesitaba un tiempo a solas con Dios en el aniversario #5 de la muerte de quien fuera su esposa. Se había dedicado mucho a cuidar de sus hijas, y necesitaba un tiempo para escuchar la dirección de Dios.

Hace cinco años yo vine a Aruba a recuperarme del divorcio mientras él experimentaba la muerte de su esposa y se fue a Miami. No nos conocimos en Miami, y ambos practicamos el paddle board, Dios nos mandó de vacaciones a Aruba con la promesa de darnos dirección y aquí nos conocimos, en una tan particular situación... Trato de contener las emociones y mi imaginación. Demasiadas coincidencias juntas. ¿Será que es él?

"Cuando pases por aguas profundas yo estaré contigo".
Isaías 43:2 (NTV)

mi tabla de Salvación blog

Lo que aprendí hoy... ¡Tanto!

• Aprendí que al enfrentar el temor encontraré oposición para atemorizarme más.

• Comprendí que no hay que tener temor a sufrir. Más bien debemos temer a no vivir como esclavos del temor.

• Comprendí que aunque las caídas duelen, la anticipación te hace pensar que el dolor tiene más poder que la experiencia propia que vivirás.

• Aprendí que no importa cuán cómoda y en paz me siento en la vida, nunca debo andar desprotegida.

• También aprendí que lo que la vida o el enemigo te manda para destrucción, Dios lo puede transformar en bendición.

• Aprendí que después de una terrible caída, el rescate puede ser.... una nueva historia que comenzará...

Y recuerda, si estas enseñanzas imparten bendición a tu vida, compártelas con otros, en tus redes sociales bajo el #mitabladesalvacion

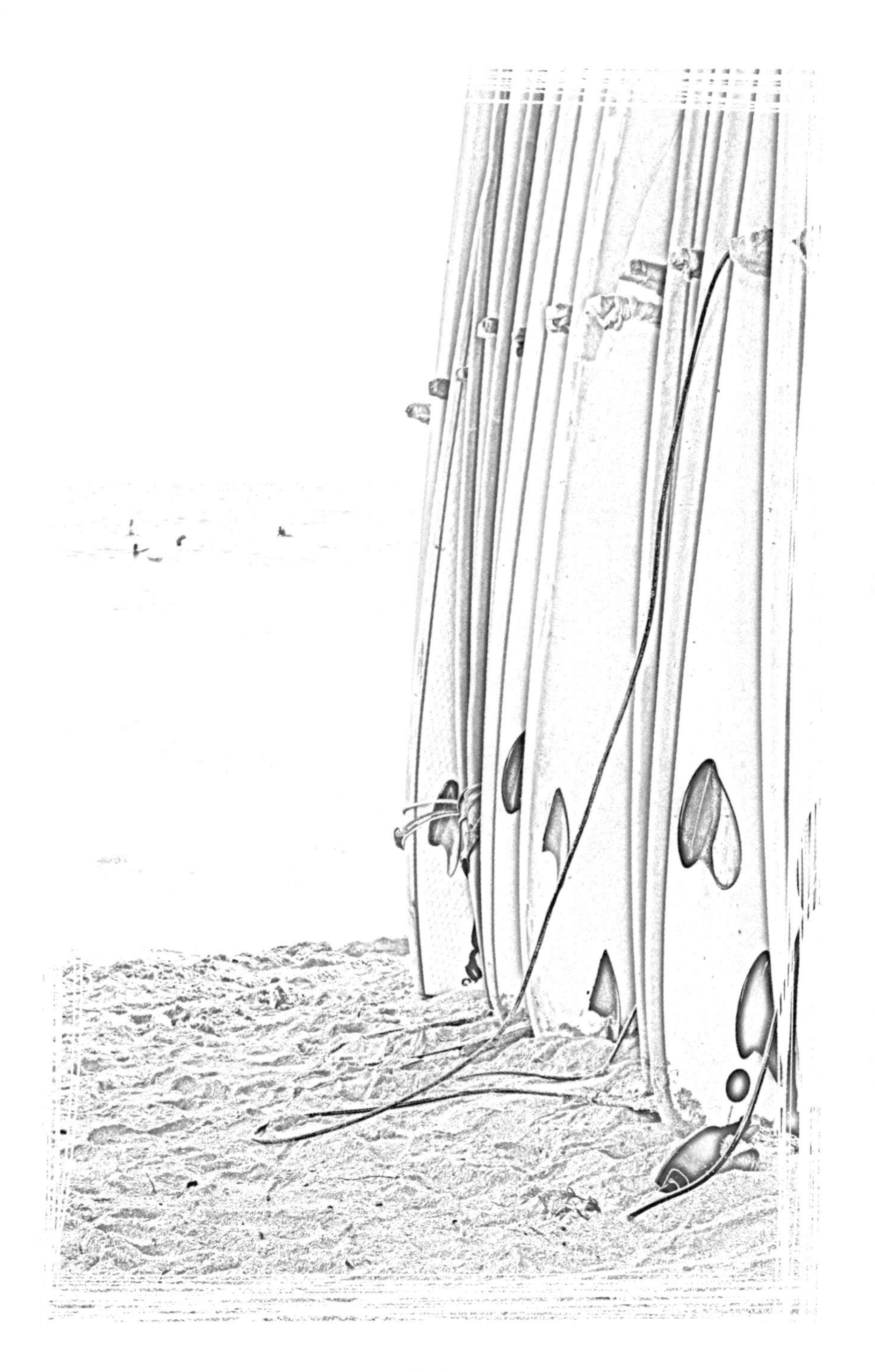

blog

mi tabla de Salvación

Epílogo

En esta aventura he aprendido tantas cosas, pero quiero compartir contigo dos:

Primero:

Las **20 reglas de oro** *para vivir para vivir la experiencia del paddle board*

1- **Escucha atentamente las instrucciones del entrenador**. Haz una pausa a tus pensamientos, abre tus oídos y tu entendimiento, y aprende. Solo cuando escuchamos humildemente y recibimos instrucciones de un experto podemos estar preparados.

2- **Mide la extensión de tu brazo con el remo.** Hay un remo adecuado para ti, de tu altura. No te conformes con menos, tampoco busques algo fuera de tu realidad. Espera el correcto, el que es justo a la medida para ti.

3- **Comienza de rodillas.** No tengas prisa porque te vean desfilar. Tu momento ha de llegar. Mientras tanto, tus rodillas son el mejor lugar de preparación.

4- **Párate sin dudar.** Cuando el momento es propicio y tienes la indicación de tu entrenador, no temas, confía y ponte en pie con determinación. Ve segura sabiendo que estás lista para el próximo paso.

5- **Mantente al centro de la tabla y cuida el balance.** Ni al frente, ni atrás. Hay un lugar para ti en esa tabla, ocúpalo y no te muevas de ahí. No tienes que jugar a ir al frente, tampoco tienes por qué quedarte rezagada atrás. Debes estar centrada.

6- **Si te vas a caer, tírate de rodillas.** La única forma de evitar una caída es sobre tus rodillas. Sin pensarlo, lánzate a orar. En medio de la incertidumbre, de la duda, de la sola posibilidad de caer, tus rodillas te llevarán al lugar seguro.

7- **Si te caes, quítate el salvavidas para impulsarte a subir**. El orgullo puede llevarnos a querer demostrar independencia y falta de vulnerabilidad. Quita todo lo que impide tu subida, deja fuera el orgullo y usa todo lo que tengas para re-incorporarte a tu tabla.

8- **Si tus brazos no te ayudan, usa tus piernas.** Lo que para otros funciona, quizás para ti no. Conócete a ti misma y usa tus áreas de fortaleza para ayudarte. No te frustres porque tus fuerzas pueden estar donde a otros les falta.

9- **No pelees con el mar.** Fluye con las situaciones, adáptate a lo que no puedes controlar, ríndete a lo que te supera y deja que Dios pelee tus batallas. No es tu batalla, Dios tiene el control.

10- **Para avanzar, busca profundizar.** No hay forma de que puedas llegar más rápido a tu destino si no es profundizando en tu relación con Dios. Pasa tiempo en la Palabra, ayuno y oración; eso te dará la profundidad para acelerar tu victoria.

11- **Para detenerte, entra el remo con firmeza y vertical.** Hay ocasiones en que necesitarás parar. Párate firme y muestra tu integridad. No negocies tus valores, ni aquello en lo que has creído. Así como tu remo, mantente vertical.

12- **Saca tiempo para descansar.** No todo puede ser trabajo. Toma tiempo para descansar y apreciar el amor del Padre al reposar en sus pies. Déjate amar, déjate acariciar por el mar de su misericordia.

13- **Disfruta el paseo.** Conéctate con Dios, escucha su dulce voz, emociónate con sus palabras y celebra tu salvación. Este es tu tiempo.

14- **Contempla tu entorno.** Mira cada detalle que el Señor construyó para ti. Observa su hermosura en la naturaleza que nos regaló. Cada día es una nueva experiencia de amor.

15- **No mires hacia atrás.** Cuando miras hacia atrás pierdes el balance y pones en riesgo tu destino. Lo que ha quedado atrás, déjalo ir. Hay paisajes nuevos por descubrir.

16- **Nunca te quites el "leash"**. No dependas de tu propia prudencia. Mantente humilde aprendiendo de su Palabra a diario. Pon tu confianza en Dios y no te desconectes de la fuente de tu seguridad.

17- **Evita acercarte mucho a los extremos**. Cuando te acercas demasiado a las orillas te expones al peligro. Mantente centrada, alejada de los peligros y de la oscuridad que acecha.

18- **No salgas sola a altamar**. Este paseo se disfruta más en compañía. No te sientas tan espiritual que no necesitas a nadie. Un amigo siempre es buena compañía. No te expongas.

19- **Deja saber a las personas dónde vas a estar**. Rinde cuentas siempre a alguien, por tu propia seguridad. Ten siempre a alguien en tu vida que sepa en dónde y cómo estás.

20- **No pierdas tu remo**. Tu remo en esta vida es la Palabra de Dios. No puedes mover tu tabla sin ella. No puedes avanzar sin el manual de instrucciones que Él nos dejó.

Bono- Aprende a nadar. Puedes salir a hacer paddle board sin haber aprendido, pero no te lo recomiendo. Debemos prepararnos para más allá de lo que parece obvio. Debemos estar listos para cualquier eventualidad. Nunca sabes cuándo vas a poderlo necesitar. Aprende todo lo que puedas. Un día puedes encontrarte en un terreno retador en donde vas a tener que defender tu fe. No quieras estar en una desventaja que puede llegar a ser mortal. El pueblo perece por falta de conocimiento.

Segundo:
No hay poder más grande que el poder del amor

Yo puedo testificar que finalmente conocí el verdadero amor. Al final de estos cinco años, lo mejor que he podido lograr ha sido enamorarme.

Sí, me enamoré.

Me enamoré del amor de Dios que llenó mi mundo de color y de una nueva ilusión. Me enamoré de su Espíritu Santo que día tras día, mientras me guiaba, también me conquistó. Me enamoré de Jesús, mi Señor y mi Salvador. Y desde el día que conocí ese verdadero amor, todos mis vacíos fueron llenados.

Si es o no es Donato la persona que Dios tiene para mí, verdaderamente nos enteraremos luego. Pero hoy me siento plena y he aprendido a vivir con un sobreabundante amor que ningún hombre pudo lograr en mí. Ese gran amor está disponible también para ti.

Amiga, amigo, Dios tiene una propuesta de amor para ti. Haz esta oración conmigo y recibe el regalo más hermoso que el mundo haya conocido: el regalo de tu salvación y de vivir conectado a la principal y única fuente de amor.

Señor Jesús, vengo hoy a ti con un humilde y contrito corazón. Perdona mis pecados, mi amado Señor. Confieso que te he fallado. Te pido que entres en mi corazón y me laves de toda mi maldad. Solo tú puedes perdonar mi pecado. Te reconozco, Jesús, como mi único y exclusivo Señor y Salvador. Escribe mi nombre en el libro de la vida. Quiero hacer tu voluntad y dejar que tu Espíritu Santo dirija mis pasos. Sé tú mi Padre y mi redentor. Renuévame y crea en mí un nuevo corazón. En el nombre de Jesús, amén.

Si has hecho esta oración, quiero que sepas que en este momento hay una fiesta en el cielo en tu nombre. Y yo también te quiero festejar. Envíame un email a *mitabladesalvacion@gmail.com* porque quiero orar por ti y mantenerme conectada contigo.

Acerca de la *autora*

Con *Mi tabla de salvación,* Elsa iLardo inicia su carrera como autora y novelista, seguida de una reconocida trayectoria como experta en mercadeo en diversas industrias, incluyendo la industria literaria hispana. Anterior a su primer libro, Elsa se ha destacado desde el 2013 como escritora de su blog *Mi tabla de salvación,* que tiene decenas de miles de seguidores.

Mujer visionaria con estudios de posgrado en publicidad y mercadeo, fundó y dirige junto a su esposo, Stephen iLardo, la plataforma Hispanos Media, que ha alcanzado un crecimiento récord a menos de un año de su creación. Hispanos Media reúne a empresarios y profesionales hispanos residentes en la Florida Central, con el objetivo de fomentar su desarrollo, mejoramiento e intercambio profesional.

A la par de sus intereses profesionales, Elsa expresa su pasión por Dios mediante una activa vida ministerial en Lake Mary Church, la iglesia donde se congrega ella y su familia. Es líder de un grupo de mujeres latinas compartiendo enseñanzas bíblicas, y está a cargo de las traducciones para las personas hispanas. Junto a su esposo, Stephen, sirven como matrimonio mentor del grupo de los jóvenes, y participan en paneles sobre temas de pareja. Juntos comparten su testimonio predicando como invitados en eventos y actividades, tanto en organizaciones eclesiales como seculares. Han viajado a diversos países hispanos como misioneros, y sirven como voluntarios del ministerio del evangelista Chris Franz en cruzadas y eventos de evangelización.

Stephen y Elsa iLardo residen en la Florida Central, y juntos son los padres de Dylan, Cody y Austin.

Información de contacto:

Email: mitabladesalvacion@gmail.com

Facebook e Instagram: Mitabladesalvación

Facebook e Instagram de la autora: elsailardo

WA Business: 305-417-3771

La *corona* de vida.